D0183106
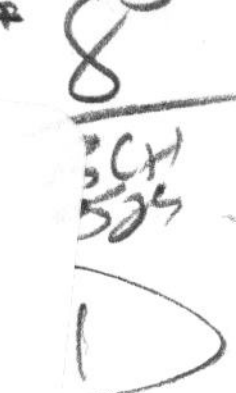

L'hypertension

LA TUEUSE SILENCIEUSE

Distribution

2185, autoroute des Laurentides
Laval (Québec) H7S 1Z6

Téléphone: (450) 687-1210
Télécopieur: (450) 687-1331

L'hypertension

LA TUEUSE SILENCIEUSE

PAR Dr CHRISTIAN FORTIN
ET JACQUES BEAULIEU

LES ÉDITIONS PUBLISTAR
Une division des Éditions TVA inc.
7, chemin Bates
Montréal (Québec) H2V 4V7

Directrice des éditions: Annie Tonneau
Direction artistique: Benoît Sauriol
Couverture: Michel Denommée
Révision: Luce Langlois et Paul Lafrance
Correction: Corinne De Vailly et Julie Robert
Montage infographique: Jean-François Gosselin
Photos des auteurs: Guy Beaupré (Dr Christian Fortin)
Daniel Auclair (Jacques Beaulieu)

Nous reconnaissons l'aide financière du gouvernement du Canada par l'entremise du Programme d'aide au développement de l'industrie de l'édition (PADIÉ) pour nos activités d'édition.

Dépôt légal: quatirème trimestre 2004
Bibliothèque nationale du Québec
Bibliothèque nationale du Canada
ISBN: 2-89562-108-X

TABLE DES MATIÈRES

Avant-propos

LE BON ET LE MAUVAIS EMPLOYÉ

Il était une fois un patron très exigeant. De tous ses employés, deux faisaient plus particulièrement l'objet de son attention. L'un d'eux lui donnait beaucoup de fil à retordre. Il s'emportait facilement, parlait fort et allait jusqu'à proférer des menaces. Un jour, la discussion dégénéra et le patron reçut un solide coup de poing. L'employé syndiqué récolta quelques semaines de suspension. Notre patron aurait bien voulu se débarrasser de ce fauteur de troubles, mais c'était impossible. L'employé fut donc réintégré dans ses fonctions, malgré les réticences de notre patron. Ce dernier dut continuer à vivre avec celui qu'il surnommait son *épine au pied*. Heureusement, un autre de ses employés avait un caractère tout à fait à l'opposé du précédent. Toujours avenant, il ne discutait jamais les ordres. Bien disposé, il effectuait tout ce qu'on lui demandait. À l'occasion, il arrivait même à notre patron de décharger ses frustrations sur son employé modèle. Ce dernier ne bronchait jamais; dès le lendemain, il était fidèle au poste, comme si rien ne s'était passé. Ses collègues ne manquaient pas de se moquer de lui, le traitant de «lèche-patron», pour n'utiliser ici que le plus poli des quolibets dont on l'abreuvait régulièrement.

Un bon matin, notre patron, qui venait justement de subir les foudres de son employé colérique, aperçoit une canette de boisson gazeuse traînant sur une table de travail. Sachant pertinemment que la canette en question appartient à l'employé modèle, il se met à décrier la négligence de celui qui a laissé ainsi une boisson gazeuse traîner près d'appareils informatiques coûteux, risquant irrémédiablement de les endommager. C'est alors que notre employé modèle se lève calmement, ramasse sa canette vide, la dépose dans la poubelle, puis, tout aussi sereinement, saisit sa chaise et en assène trois coups sur le crâne du patron. Las d'être le souffre-douleur de tout un chacun au cours des 12 dernières années, l'employé venait d'exprimer pour la première et dernière fois — en ce qui concerne le patron — toutes les frustrations accumulées.

LE BON PATRON DE LA SANTÉ

En fait, le responsable premier de sa santé, le vrai patron, ce n'est ni le médecin ni l'infirmière: chaque individu est le patron de sa propre santé. La plupart des gens n'endureront pas longtemps un mal de dents. La douleur est à ce point intolérable que personne ne perd de temps à apporter les correctifs nécessaires pour régler la situation. Cependant, certains problèmes de santé, à l'instar de l'employé modèle de l'exemple décrit précédemment, ne se manifestent que lorsqu'il est trop tard. De tous ceux-là, l'hypertension artérielle est la reine. Silencieuse pendant des années, elle peut tuer en une fraction de seconde ou rendre handicapée une personne qui en est atteinte. Pourtant, elle est simple à diagnostiquer et peut être traitée efficacement.

CONNAÎTRE POUR GUÉRIR

Si notre infortuné patron avait bien connu son employé modèle, il ne l'aurait jamais poussé à bout, et son histoire aurait eu une fin plus heureuse. Il en va de même des nombreuses personnes qui souffrent d'hypertension. Apprendre à connaître cette maladie, c'est prendre une part active dans son traitement. Le but de cet ouvrage est justement de démasquer cette tueuse silencieuse qu'est l'hypertension et d'inciter ceux qui en sont atteints à s'investir davantage dans leurs traitements. Vous cesserez alors de *souffrir* d'hypertension, vous apprendrez à la *contrôler*.

Ce passage d'une situation passive à une participation active tend à définir la relation moderne patient-médecin, et ce, pour le plus grand bien du patient. Participer activement au contrôle de son hypertension peut éviter bien des accidents vasculaires cérébraux, bien des infarctus du myocarde, sans parler des ruptures d'anévrisme.

Introduction

Pourquoi la mesure de la tension artérielle constitue-t-elle un geste quasiment routinier lors de toute consultation médicale? La réponse est fort simple: les renseignements recueillis par ce simple test sont d'une importance primordiale pour l'évaluation de la santé. De fait, ce qui est mesuré, c'est la pression qu'exerce le sang sur les parois des vaisseaux dans lesquels il circule. Cette pression est mesurée à deux moments: immédiatement après une contraction du cœur (lors de l'effort), c'est la tension systolique, et entre deux battements (au repos), c'est la tension diastolique. L'Organisation mondiale de la Santé (OMS) a évalué la tension artérielle optimale à 120/80. À une tension de 140/90 et plus, l'OMS parle d'hypertension. De plus en plus de chercheurs tendent à affirmer que l'hypertension commencerait plutôt à 130/90. Mais tous s'accordent à dire que plus la tension artérielle est élevée, plus les problèmes de santé seront graves et surviendront dans de courts délais.

L'OMS classe l'hypertension au premier rang des facteurs de risque de mortalité chez les femmes et au deuxième rang chez les hommes dans certains pays, dont le Canada[1]. Au Canada, 22 % des personnes âgées de 18 à 65 ans font de l'hypertension. Ce pourcentage grimpe à 50 % chez les plus de 65 ans. On pourrait donc affirmer que près d'un adulte sur quatre est touché et une personne âgée sur deux. C'est énorme! Si ces millions de personnes ne contrôlent pas leur tension artérielle, les risques d'infarctus, d'accident vasculaire cérébral (AVC), de ruptures d'anévrisme, de problèmes rénaux, d'ennuis circulatoires dans les jambes augmentent d'autant. Il semblerait logique que les hypertendus prennent les moyens appropriés pour ramener leur tension artérielle le plus près de la normale possible. Mais la réalité diffère sensiblement de l'évidence rationnelle. D'une part, bien des gens font de l'hypertension sans le savoir et sans qu'aucun test diagnostic n'ait été fait. D'autre part, il faut ajouter à cette cohorte d'individus, un autre groupe de personnes qui savent qu'elles font de l'hyperten-

---

1. OMS. *The World Health Report 2002*, Genève, Suisse, Organisation mondiale de la Santé, 2002.

sion, mais qui, pour diverses raisons, ne suivent aucune thérapie afin d'améliorer leur situation ou ont abandonné celle qu'elles avaient entreprise.

La raison d'être de notre livre est précisément d'insister auprès du premier groupe pour inciter ces gens à prendre connaissance de leur tension artérielle (ce qu'on appelle en médecine, le dépistage) et de motiver ceux du deuxième groupe à suivre ou à poursuivre leur thérapie.

Un AVC qui survient à 65 ou 70 ans peut handicaper une personne définitivement. Passer les 5 ou 10 dernières années de sa vie en fauteuil roulant n'est certainement pas dans les plans d'avenir de ce que l'on appelle le rêve américain. Pourtant, en négligeant de détecter et de traiter précocement l'hypertension, bien des gens se dirigent allègrement vers de telles conditions de vie.

Pour bien comprendre ces chiffres et surtout leur effet sur la santé, nous examinerons, dans un premier temps, l'ensemble du système sanguin. La personne souffrant d'hypertension doit être en mesure de se rendre pleinement compte des bénéfices qu'elle obtiendra en contrôlant sa tension. Si ce n'est pas le cas, après 2, 6 ou 12 mois, elle cessera son traitement. Bien comprendre le rôle et le fonctionnement du système sanguin lui permettra de s'engager activement, en quelque sorte de prendre part à son traitement, à long terme. Ici, comme dans toutes les sphères des activités humaines, les personnes convaincues obtiennent, en général, de bien meilleurs résultats.

Une fois ces connaissances acquises, il deviendra intéressant d'analyser en profondeur l'ensemble du problème. Quels sont les causes et les effets de l'hypertension? Combien de personnes en sont atteintes? Quels groupes d'âge sont les plus à risque?

L'un des traitements de choix dans le contrôle de la tension artérielle ne se trouve ni au cabinet du médecin ni en pharmacie, il s'appelle l'activité physique. Dans certains cas, comme nous le verrons, celle-ci sera même suffisante pour régler le problème. Mais, et c'est extrêmement encourageant, dans tous les cas, l'activité physique contribuera à l'efficacité de tous les traitements. Par exemple, même si vous devez prendre des médicaments pour contrôler votre hypertension, l'activité physique améliorera leurs effets. Nous parlerons donc des moyens thérapeutiques, pharmaceutiques ou non, de contrôler l'hypertension. Nous aborderons aussi l'un des facteurs les plus importants de l'hypertension, celui que nous appelons *facteur de comorbidité*. Il s'agit d'examiner l'interaction de l'hypertension avec d'autres maladies qui ne sont pas nécessairement causées par l'hypertension, mais qui apparaissent dans son sillage. Par exemple, une personne faisant de l'hypertension peut commencer à faire du diabète. Le diabète n'est pas causé par l'hypertension, mais sa survenue devra modifier l'approche thérapeutique de l'hypertension.

Dans votre promptitude à contrôler votre tension artérielle, vous vous découvrirez plusieurs appuis dans ce livre. Évidemment, votre médecin de famille sera votre *deuxième* atout. Son rôle devient de plus en plus primordial. En vieillissant, les gens se retrouvent souvent avec plusieurs problèmes de santé. Ils verront un endocrinologue pour leurs hormones, un cardiologue pour leur cœur, etc. Mais la plus importante de toutes ces aides demeure le médecin traitant, le médecin de famille, qui pourra faire le lien entre tous ces spécialistes et adapter le traitement à son patient.

Un *troisième* atout se situe la plupart du temps à quelques pas de chez vous, et l'on n'y trouve pas de liste d'attente. C'est le pharmacien. Il ne faut jamais hésiter à lui poser le plus de questions possible sur les médicaments prescrits. C'est un spécialiste de la question. Ses conseils peuvent être très utiles, particulièrement si vous avez tendance à oublier fréquemment de prendre votre médication.

Votre *premier* atout, c'est VOUS-MÊME. Nous l'avons gardé pour la fin afin d'avoir plus de place pour en parler. Vous-même allez décider de faire vérifier votre tension artérielle régulièrement, vous-même allez consulter un médecin et vous-même entreprendrez une thérapie que vous-même devrez poursuivre tout au long de votre vie. Vous-même aurez à surmonter les périodes de doute ou de questions du genre: «À quoi bon?» ou encore lorsque des phrases creuses comme «On meurt tous de quelque chose un jour» vous viendront à l'esprit. La tâche ne sera pas toujours facile. Nous espérons vous fournir dans ce livre les outils nécessaires pour mener votre bateau à bon port.

Chapitre 1

LA TENSION ARTÉRIELLE

Définition et mécanisme

La tension artérielle est l'expression de la pression exercée par le sang à l'intérieur des vaisseaux sanguins. Elle s'exprime en millimètres de mercure. C'est en fait la mesure que l'on doit exercer pour faire élever d'un millimètre le niveau du mercure dans une colonne de diamètre standard. C'est pourquoi les premiers sphygmomanomètres (appareils servant à mesurer la tension artérielle) étaient équipés d'une colonne de verre dans laquelle on pouvait voir le mercure, un métal liquide. De chaque côté de la colonne, une échelle graduée indiquait le nombre de millimètres. Nous l'avons mentionné, la tension artérielle normale se situe à 120/80 mmHg (mm pour millimètre, et Hg étant le symbole chimique du mercure).

Pour bien comprendre ce qu'est la tension artérielle, imaginons une pompe à eau reliée à un boyau d'arrosage. Dès que la pompe pousse de l'eau à l'intérieur du tuyau, il se crée une pression d'eau. Il y a fondamentalement trois façons d'augmenter cette pression. Si l'on augmente la vitesse de la pompe, la pression augmente à son tour. Si l'on diminue le diamètre de la sortie d'eau, par exemple en pinçant le bout du boyau, la pression augmente. Et finalement, si l'on augmente le débit d'eau de la pompe, on obtient le même effet.

Dans le corps humain, la pompe est le cœur. Selon le niveau d'activité, le cœur battra plus ou moins rapidement. Par exemple, en période d'activité physique intense, les muscles ont besoin de plus d'oxygène et d'éléments nutritifs pour continuer leur effort. Ils demandent alors un plus grand apport de sang pour répondre à leurs besoins. Le cœur bat plus vite pour envoyer plus de sang aux muscles. Un grand stress produit la même situation.

Imaginons que vous vous trouvez seul en forêt, et qu'un ours se pointe devant vous. Très vite, vous devez vous préparer à combattre l'ennemi, de toute évidence agressif, ou prendre la fuite en espérant courir plus vite que le plantigrade. Bien vite, votre cerveau commandera, en provoquant une poussée phénoménale d'adrénaline, à tous vos muscles de se préparer à utiliser toutes leurs forces pour fuir ou combattre. Le cœur se mettra alors à battre le plus rapidement qu'il le peut pour apporter aux muscles tout l'oxygène et toute la nourriture dont ils auront besoin pour être le plus efficaces possible. Votre tension artérielle va augmenter...

La tension artérielle peut aussi augmenter si le diamètre interne des vaisseaux diminue, et deux phénomènes sont ici en cause. Le premier vient de l'accumulation, avec l'âge, de dépôts sur la surface interne des artères, c'est l'artériosclérose. Le cholestérol qui circule normalement dans le sang aura tendance à laisser, au fil des ans, des dépôts d'abord microscopiques puis, en s'accumulant, de plus en plus importants sur la partie interne des artères. Ces accumulations peuvent devenir suffisamment importantes pour bloquer ou obstruer complètement une petite artère. C'est ce qui se produit dans les petites artères qui alimentent le muscle cardiaque quand une personne est victime d'un infarctus du myocarde. Une artère coronarienne est obstruée par ces dépôts et n'envoie plus d'oxygène et de nutriments à la partie du cœur normalement irriguée par cette artère. Il peut y avoir un arrêt complet du muscle cardiaque, ce qui entraînera le décès si le muscle n'est pas stimulé rapidement (s'il n'y a pas de réanimation cardiaque). L'artériosclérose peut donc avoir des conséquences fatales. C'est pourquoi, de nos jours, on se méfie d'un taux trop élevé de cholestérol sanguin. C'est aussi pourquoi la visite médicale s'accompagne très souvent de la prise de la tension artérielle. Si la tension est régulièrement trop élevée, il y a peut-être là un indice d'artériosclérose.

Un autre phénomène est lié à l'âge, c'est le durcissement des artères. Il peut entraîner une diminution du diamètre des artères. Dans la paroi des artères, des fibres musculaires permettent aux artères de se contracter (vasoconstriction) et de se décontracter (vasodilatation). En condition d'exercice physique intense ou de grand stress comme on l'a vu plus haut, les artères se contractent pour provoquer une augmentation de la tension artérielle, afin d'amener le plus rapidement possible le sang aux muscles. En période de repos, elles se dilatent. Avec l'âge, ces fibres musculaires des artères perdent leur efficacité et l'élasticité de la paroi artérielle diminue.

Finalement, le troisième facteur physiologique qui provoquera une augmentation de la tension est la quantité totale du volume sanguin. En fait, ce n'est pas tant la quantité de sang qui change, mais plutôt la quantité d'eau dans le sang. L'organe qui contrôle cette quantité d'eau est le rein. En vieillissant, les reins perdent de plus en plus de leur efficacité et ont tendance à retourner plus d'eau dans la circulation sanguine.

L'eau est essentielle au fonctionnement de toutes les cellules du corps humain. En cas de diminution de ses capacités, l'organisme humain a prévu des mécanismes pour préserver le précieux liquide.

Cette exploration, sommaire et à plusieurs égards simpliste (les mécanismes en cause étant bien plus complexes), des mécanismes régularisant la tension artérielle révèle clairement au moins trois organes vitaux susceptibles d'être victimes d'une tension artérielle trop élevée: le cœur, les reins et le cerveau.

Le cœur, qui pompe le sang dans les artères, sera appelé à augmenter son rythme chaque fois qu'il y aura une demande accrue due à l'activité physique ou à un grand stress. Quand la pression artérielle au repos est déjà élevée, comme dans le cas de l'hypertension artérielle, à chaque petite demande il augmente son rythme et ses efforts. Conséquence: il s'use plus vite.

Prenons l'exemple d'un coureur de fond dont la tension artérielle est normale. Notre athlète est tellement bien entraîné à l'effort que son rythme cardiaque n'augmente que peu durant l'exercice. À l'opposé, celui dont le seul sport est de regarder le hockey à la télévision voit son rythme cardiaque frôler la catastrophe s'il doit courir à toute vitesse pendant cinq minutes. Ce sera encore pire si notre sédentaire fait de l'hypertension.

L'hypertendu artériel met aussi ses reins continuellement à forte contribution. En cas d'hypertension, le rein fait face à un dilemme insoluble. Pour abaisser la tension, il devrait éliminer plus d'eau du système sanguin, pourtant il est conçu pour restreindre les pertes d'eau le plus possible, afin que les cellules constituant le corps humain n'en manquent jamais. C'est pourquoi, chez ceux qui font de l'hypertension, on prescrira un diurétique forçant le rein à éliminer plus d'eau. C'est aussi pourquoi on incite les hypertendus à diminuer leur consommation en sel. Plus la concentration en sel est élevée, moins le rein laisse échapper d'eau et... plus la tension artérielle augmente.

Le troisième organe vital mis en danger par l'hypertension est le cerveau. Ici, le risque vient de la paroi, fragilisée avec l'âge comme nous l'avons expliqué, des artères du cerveau. Si la tension est trop élevée dans des artères dont les parois ont perdu leur élasticité, il y a un risque réel que la paroi cède sous la pression. C'est l'AVC, avec deux conséquences immédiates: le contact du sang avec les cellules avoisinant la rupture détruira ces cellules, et les cellules qui auraient normalement dû recevoir l'oxygène et les nutriments provenant de cette artère en seront privées et mourront elles aussi. Ces destructions locales entraîneront divers problèmes dont la gravité variera en fonction du nombre de cellules détruites et selon l'endroit du cerveau où est survenue la catastrophe. Il peut en résulter une paralysie localisée, une paralysie plus importante ou carrément le décès.

Nous venons de voir les effets potentiels de l'hypertension sur trois organes vitaux. Malheureusement, les ravages de l'hypertension ne se limitent pas là. En fait, comme l'hypertension affecte directement la circulation sanguine, ses dommages peuvent survenir n'importe où dans le corps humain. Une cécité peut avoir pour cause l'hypertension, puisqu'une artériole (petite artère) située dans la rétine de l'œil peut être victime d'une rupture d'anévrisme. Des problèmes de la fonction érectile peuvent aussi être dus à l'hypertension.

De plus, comme l'hypertension se manifeste souvent après la soixantaine (50 % des personnes de plus de 65 ans en font), il n'est pas rare que, pour compliquer le tableau, d'autres maladies se manifestent simultanément. C'est ce qu'on appelle la *comorbidité*. Par exemple, un hypertendu peut se mettre à faire du diabète. Comme cette maladie endommage elle aussi les vaisseaux sanguins, les risques d'hémorragie et de ruptures d'anévrisme sont alors multipliés. Il peut arriver que pour traiter une maladie on doive administrer des médicaments dont les effets secondaires risquent d'augmenter la tension artérielle, ce qui n'est pas une très bonne idée quand la personne fait déjà de l'hypertension.

Dans la majorité des cas, les causes de l'hypertension sont inconnues. Rarement, l'hérédité y joue un rôle. Par contre, les facteurs de risque sont mieux connus. Comme on l'a vu, l'âge en est un. Plus on vieillit, plus on risque de faire de l'hypertension artérielle. Certaines habitudes de vie vont aussi accroître les risques. Le tabagisme, une consommation excessive d'alcool, la sédentarité (manque d'exercice physique), le stress, une alimentation trop riche en sel ou en graisse, l'obésité ou l'excédent de poids sont tous des facteurs qui peuvent augmenter sensiblement les risques de faire de l'hypertension. Certains médicaments anti-inflammatoires, d'autres contenant de la cortisone et les vaporisateurs nasaux ont aussi des effets semblables. La cocaïne pourra également entraîner de l'hypertension. Certaines friandises sont aussi à surveiller, particulièrement celles contenant de la réglisse.

L'Organisation mondiale de la Santé (OMS) classifie ainsi les diverses tensions artérielles:

Catégorie	**Systolique**	**Diastolique**
Optimale	< 120	< 80
Normale	< 130	< 85
Limite supérieure de la normale	< 130 - 139	< 85 - 89
Hypertension de grade 1 (légère) • Sous-groupe: hypertension limite	140 - 159 140 - 149	90 - 99 90 - 94
Hypertension de grade 2 (modéré)	160 - 179	100 - 109
Hypertension de grade 3 (sévère)	≥ 180	≥ 110
Hypertension systolique isolée • Sous-groupe: hypertension systolique isolée limite	≥ 140 140 - 149	< 90 < 90

Comme vous le voyez, il existe plusieurs types d'hypertension. Encore faut-il être conscient de l'état de sa tension artérielle. Les visites chez le médecin sont des occasions de connaître sa tension artérielle. Toutefois, en général, les visites chez le médecin ne sont pas très fréquentes, donc il ne faut pas hésiter à vérifier sa tension soi-même. Plusieurs pharmacies offrent les services gratuits de prise de tension sur place. Utilisez-les aussi souvent que possible. L'autre possibilité consiste à faire l'acquisition d'un sphygmomanomètre. Nous en parlerons plus loin et décrirons alors les divers modèles en vente.

Chapitre 2

LES EFFETS DE L'HYPERTENSION

Les tout premiers professionnels à se rendre compte des effets de l'hypertension ne faisaient pas vraiment partie du monde médical. Aux débuts des années 1900, les actuaires des compagnies d'assurance sur la vie, en recoupant des dossiers médicaux avec les primes d'indemnisation versées, se rendirent compte que les personnes qui avaient une tension artérielle élevée mouraient plus jeunes que les autres. En 1947 commença à Framingham, une petite localité près de Boston, l'enquête épidémiologique (étude des causes) qui allait sensibiliser l'ensemble de la communauté scientifique internationale à cette *nouvelle* maladie et qui sert encore de nos jours de référence en matière d'hypertension. Ses résultats démontrent que le niveau de pression artérielle, le taux de cholestérol sanguin, l'obésité, le diabète, certains facteurs héréditaires, de même que des habitudes de vie pernicieuses comme le tabagisme, la sédentarité, la consommation exagérée de calories, de graisses, de sel et d'alcool, sont susceptibles d'entraîner les maladies cardiovasculaires, dont l'infarctus du myocarde et les AVC. En Europe, l'étude française du Groupe de recherches et d'études sur l'athérosclérose (GREA) en 1980 est arrivée aux mêmes conclusions. Toutes ces études démontrent que la persistance d'une tension élevée, supérieure de 12 mmHg à la moyenne des sujets du même âge, est liée à une mortalité excessive [2]. Plus haute est la tension, plus élevé est le risque.

Les risques pour la santé touchent principalement trois organes vitaux: le cœur, le cerveau et les reins. L'impact sur les causes de mortalité l'illustre bien. Ainsi selon Statistique Canada[3], sur 103 684 décès survenus en 1997, 39 619 étaient consécutifs à des problèmes de la circulation sanguine. Au Québec, ces chiffres sont 25 981 décès au total, dont 9 529 liés à la circulation sanguine. Selon le Programme éducatif canadien sur l'hypertension, 90 % des personnes âgées de 55 ans et plus souffriront d'hypertension au cours

2. www.frm.org, Florence Rosier, août 2002.

3. www.statcan.ca/francais/freepub/84F0209XIB/0009784F0209XIB.pdf

de leur vie[4]. Le problème de l'hypertension est donc à prendre extrêmement au sérieux.

Pour comprendre les effets de l'hypertension, quelques notions d'anatomie et de physiologie sont essentielles. Si, à quelque moment de la lecture, ce résumé peut se révéler quelque peu théorique, l'effort en vaut le coût car, en connaissant mieux la mécanique (anatomie) et le fonctionnement (physiologie) des organes touchés, il devient facile de comprendre que toute amélioration que vous apporterez à votre tension artérielle se traduira en nombre d'années de vie supplémentaires et, surtout, en l'espoir d'une bien meilleure qualité de vie.

Reprenons dans le détail l'exemple de la rencontre avec l'ours du chapitre précédent. Tous les milliards de cellules qui composent le corps humain ont besoin d'eau, de nourriture et surtout d'oxygène pour fonctionner. Cet ordre est facilement démontrable quand on se rend compte qu'on peut vivre de trois à quatre semaines sans apport de nourriture, quelques jours à peine sans eau et quelques minutes seulement sans oxygène. Or, la seule façon pour les cellules

---

4. Programme éducatif canadien sur l'hypertension. *Les recommandations du Programme éducatif canadien sur l'hypertension 2004: Quels sont les nouveaux éléments et ceux qui demeurent importants*, p. 2.

d'obtenir ces éléments est par la circulation sanguine. Elles y puisent l'eau, les nutriments (provenant de l'alimentation: sucres sous forme de glucose, protéines, graisses, vitamines et minéraux) et l'oxygène. Une fois qu'elles ont absorbé ces substances, elles les utilisent et évacuent leurs déchets dans la circulation sanguine sous forme de gaz carbonique, d'urée, etc. La circulation sanguine ramène ces déchets aux organes, qui procèdent alors à leur évacuation hors du corps. Pour le gaz carbonique, l'expulsion se fait par les poumons (quand on inspire, l'oxygène entre, et quand on expire, on expulse du gaz carbonique). Les reins se chargent d'éliminer l'urine, et le foie, les résidus issus des graisses. Tous ces phénomènes sont ici largement simplifiés pour permettre une compréhension plus facile. Le cœur ajuste son rythme en fonction des besoins. En état de sommeil, la demande des cellules en oxygène et en nutriments est moins importante que lorsqu'on exerce une activité quelconque en état d'éveil.

Si vous vous promenez dans une forêt pour la première fois, déjà plusieurs cellules de votre organisme augmentent leurs besoins. Ne connaissant pas l'endroit, votre cerveau est plus vigilant et se prépare à une alerte inhabituelle. Il garde tous les sens en éveil. En d'autres termes, vos yeux, vos oreilles et votre nez sont plus sensibles que si vous vous promenez dans votre maison dont vous connaissez tous les recoins. Donc, les cellules du cerveau, particulièrement celles du cortex sensitif et du cortex moteur, exigent plus d'oxygène et de glucose. À moins d'être en état de panique totale, le cœur ne se met pas à battre à tout rompre, mais il ménage ses forces en continuant à battre à peu près au même rythme tout en augmentant légèrement la pression sanguine. Pour ce faire, le cerveau demande au foie de hausser sa production de cholestérol. Cette graisse naturellement formée par le foie a pour objectif d'augmenter la fluidité du sang dans les artères. Un peu comme l'huile d'un moteur permet au piston de monter et de descendre dans un cylindre avec moins de friction. Le cholestérol sanguin disponible provient à environ 80 % du foie, et le reste est fourni par l'alimentation.

Si on récapitule, on marche dans un lieu inconnu, nos sens sont en alerte, la tension artérielle et le niveau de cholestérol sanguin ont légèrement augmenté. Arrive l'ours. Le cerveau le détecte rapidement. La séquence des événements qui vont se passer dans l'organisme se déroule en moins de quelques secondes. Le cerveau envoie une substance chimique dans la circulation sanguine appelée noradrénaline. Les glandes surrénales détectent cette substance et éjectent une quantité importante d'adrénaline dans le système sanguin. Recevant cette adrénaline, le cœur interprète ce signal comme une demande d'accélérer proportionnellement son rythme, le foie dégage plus de cholestérol, l'estomac se remplit d'acides gastriques pour hâter la digestion des aliments qui y séjournent encore, afin de les expédier au plus vite vers l'intestin qui lui, par un apport aussi accru de bile, se charge d'envoyer dans la circulation sanguine les nutriments (sucres, protéines, graisses et autres) au cas où l'organisme en aurait besoin. Les artères se contractent au maximum pour augmenter la pression du sang, le cerveau prend la décision de fuir l'ennemi ou de le combattre. Durant la fuite ou le combat, les cellules musculaires utilisent tout l'oxygène et les nutriments disponibles pour fonctionner au maximum; le cholestérol sanguin est lui aussi utilisé en quasi-totalité, ainsi que tous les nutriments qui étaient dans l'estomac et l'intestin. Une fois l'animal écarté, le cœur reprend graduellement son rythme normal, la tension artérielle revient à la normale, tout comme le taux de cholestérol. Il faut noter que, heureusement, on ne rencontre pas d'ours chaque jour. D'un autre point de vue, cela est presque regrettable... Ici, une explication s'impose.

Cette séquence: mise en état d'alerte, alerte, réponse organique et recouvrement, nous arrive plus souvent qu'on ne le pense en général. Mais contrairement à une situation d'urgence naturelle dans laquelle un effort physique est généralement demandé, nous vivons aujourd'hui des alertes qui ne sont pas suivies d'activité physique. Devant un patron enragé, l'organisme réagit physiologiquement, presque exactement comme face à l'ours. Mais ici, pour conserver son emploi, pas question de fuir ou, pire, d'abattre le patron à coups de poing. Il y a donc augmentation du rythme cardiaque, de la pression sanguine et du cholestérol sans qu'aucune activité physique ne puisse éliminer tout ce surplus expédié dans la circulation sanguine.

Deux facteurs ont été jusqu'ici mis en lumière: la carence en activité physique et le cholestérol. Un troisième vient s'y ajouter: l'alimentation. Nous avons glissé un mot du rôle de l'apport en cholestérol par l'alimentation. Certains diront à raison qu'il ne représente que 20 % du cholestérol total. Mais qu'arrive-t-il si l'organisme fabrique déjà suffisamment ou même trop de cholestérol? Dans ce cas, les 20 % qui semblaient si minimes deviennent totalement excédentaires. Au fil des ans, ce surplus s'accumule sur la paroi interne des artères et y forme des plaques, c'est l'artériosclérose. Lorsqu'une personne meurt d'un infarctus du myocarde, à l'autopsie, on peut constater qu'une ou plusieurs artères coronariennes (les artères qui apportent le sang au muscle cardiaque) sont complètement bloquées. Le sang n'arrivant plus au muscle cardiaque, ou du moins dans une partie de celui-ci, le muscle cardiaque meurt. S'il survit, souvent parce qu'on a eu le temps de le réanimer, il faut procéder à une dilatation des artères coronariennes quand c'est possible, sinon, il faut, par chirurgie, effectuer un pontage, c'est-à-dire greffer une artère avant le blocage de l'artère coronarienne et après le lieu du blocage. Quelquefois il faut faire un double, un triple ou même un quadruple pontage, selon le nombre de blocages à contourner.

L'artériosclérose rend aussi la paroi des artères beaucoup plus dure et rigide, ce qui a tendance à augmenter la tension artérielle et à rendre la paroi plus fragile. On pourrait ici comparer l'artère à une petite branche d'arbre. Si la branche est sèche, elle casse sous une légère pression. De petites artères au cerveau, ainsi fragilisées, peuvent se rompre de manière spontanée. C'est l'AVC. Cette rupture n'est généralement précédée d'aucun symptôme. Les personnes qui font de l'hypertension sont à risque. Et plus la tension est élevée, et ce, sur une longue durée, plus les risques augmentent.

L'apport alimentaire en cholestérol doit donc être surveillé de près; nous y reviendrons.

L'autre organe vital particulièrement touché est le rein. Nous connaissons tous le rôle essentiel des reins pour enlever l'urée du sang et la rejeter dans la vessie dont nous évacuons plusieurs fois par jour l'urine. Les amateurs de mots croisés écrivent souvent «urémie» lorsqu'on leur demande: une maladie grave du rein. Lorsque le rein n'effectue pas correctement ce rejet de l'urée, la condition peut devenir mortelle si elle n'est pas corrigée rapidement. Mais il existe une autre fonction du rein qui, bien que moins médiatisée, soit tout aussi importante. Le rein est responsable d'éliminer ou de conserver l'eau du sang. S'il y en a trop, il l'élimine, s'il en manque, il la conserve. L'élément essentiel qui lui indique si l'organisme est en manque ou en excès d'eau est le sel. À l'intérieur de chacune des milliards de cellules du corps humain, le liquide qui s'y trouve (liquide cytoplasmique) a un certain degré de salinité. La cellule a absolument besoin d'une quantité de sel définie pour fonctionner; ce n'est pas par hasard si la vie est apparue en premier lieu dans la mer. Quand le sang arrive au rein, dans un premier temps, celui-ci enlève tout le liquide composant le sang. Ce liquide est alors composé d'eau, de sel, d'urée et d'autres impuretés. Dans le glomérule rénal, une grande partie de l'eau et le sel sont retournés dans la circulation sanguine, et le reste de l'eau, l'urée et les autres impuretés sont vidées dans l'uretère qui amène le tout à la vessie qui s'emplit ainsi graduellement. Dans ce mécanisme, le contrôle de la quantité d'eau est effectué par le rein. Qu'arrive-t-il quand trop d'eau est remise en circulation? Un peu comme dans notre exemple d'une pompe à eau, si on augmente la quantité d'eau, on augmente la pression.

Deuxième question: qu'arrive-t-il lorsqu'on consomme trop de sel? Comme le niveau de salinité dans chacune des cellules doit demeurer constant, le rein doit retourner plus d'eau dans la circulation sanguine pour ramener la proportion sel-eau (salinité) à la normale. Si, par exemple, le niveau de salinité normal est de 6 mg de sel pour 1 litre d'eau, et que vous vous retrouvez avec 12 mg de sel, si vous rajoutez 1 litre d'eau, vous serez à 12 mg de sel pour 2 litres d'eau, donc en simplifiant, vous constatez que vous êtes revenu au niveau normal de 6 mg pour 1 litre d'eau. C'est exactement pour cela que ceux qui éprouvent des problèmes de tension artérielle élevée doivent impérativement contrôler leur consommation de sel. Plus ils ingurgitent de sel, plus le rein doit augmenter le volume d'eau dans le sang et plus la pression sanguine augmente. Autre effet néfaste de ce cercle vicieux, plus le rein a à fournir de travail pour effectuer ces ajustements, plus il se détériore rapidement. Lorsque les deux reins ne fonctionnent plus et qu'on est trop âgé pour envisager une greffe rénale... ça va très mal!

Les ravages occasionnés par une tension artérielle trop élevée sont donc bien apparents dans ces trois organes vitaux que sont le cœur, le cerveau et les reins. Mais dans les faits, l'hypertension a des effets néfastes sur chacune des cellules de l'organisme. Un exemple parmi d'autres: les artères nourrissant la rétine, cet endroit de l'œil qui enregistre l'image, peuvent se rompre à la suite d'une hypertension, surtout si elle s'est prolongée, ce qui diminue de beaucoup et, dans certains cas, anéantit la capacité de vision. Les hommes hypertendus qui éprouvent des problèmes d'érection voient leur capacité érectile s'améliorer grandement lorsqu'ils réussissent à ramener leur tension à la normale.

Ma grand-mère répétait souvent qu'elle ne voyait pas beaucoup d'avantages à vieillir. Force nous est de constater que les risques d'apparition de diverses maladies augmentent en vieillissant. Plusieurs gagnent beaucoup de poids, certains deviennent obèses, d'autres font du diabète, de l'arthrite, du rhumatisme, etc. Ces maladies ne sont pas causées par l'hypertension, mais le fait de faire de l'hypertension ne contribue pas à améliorer la situation. C'est ce qu'en médecine nous appelons la *comorbidité*. Comme nous en avons déjà parlé, si vous faites du diabète, l'un des effets de cette maladie est de rendre les vaisseaux sanguins plus fragiles. Si en plus vous faites de l'hypertension, vos risques de faire un AVC, de souffrir de maladies cardiaques, de devenir aveugle ou de subir toute autre conséquence d'une hémorragie augmentent beaucoup. Il arrive même qu'un médicament qui pourrait vous aider pour traiter une maladie ne puisse vous être administré parce qu'un des effets secondaires de ce remède est de faire augmenter la tension artérielle, ce qui aurait un effet catastrophique si vous faites déjà de l'hypertension.

Nous espérons vous avoir décrit clairement les effets de l'hypertension. Le drame est qu'avant que ces effets se manifestent, on ne ressent aucune douleur, aucun symptôme et que, lorsqu'ils surviennent, il est impossible de revenir en arrière. Dans bien des cas, la vie s'arrête ici. Dans d'autres (pourrait-on vraiment les qualifier objectivement de chanceux), les gens survivront, mais avec une qualité de vie bien diminuée (paralysies multiples, cécité, etc.). Un faible pourcentage de gens pourra après des mois, voire des années de réhabilitation, recouvrer une partie de la qualité de vie dont ils disposaient auparavant.

Et si l'on y pensait avant?

Chapitre 3

LES TRAITEMENTS NON PHARMACOLOGIQUES

Traiter une maladie le plus efficacement possible consiste à s'attaquer aux causes de cette maladie. Ce n'est malheureusement pas toujours possible. Fréquemment, en effet, nous sommes forcés de ne traiter que les symptômes. L'hypertension origine de plusieurs causes possibles et le plus souvent d'une combinaison de ces causes; parmi celles-ci, mentionnons l'hérédité, le stress, l'alimentation, le surpoids et le tabagisme. Nous avons ici au moins trois facteurs sur lesquels nous pouvons intervenir directement. Évidemment, nous ne pouvons rien faire pour contrer les facteurs héréditaires, et il est difficile dans bien des cas d'éliminer tous les agents stressants de l'existence. Par contre, chacun est capable de s'alimenter sainement, de perdre du poids pour atteindre un IMC (indice de masse corporelle) sécuritaire et de cesser sa consommation de tabac ou, encore mieux, de ne jamais s'y adonner. Dans la plupart des cas, même en présence d'un facteur héréditaire défavorable (par exemple, la mère et le père d'un individu ont souffert d'hypertension) et de facteurs stressants, en contrôlant l'alimentation, le poids et en cessant le tabac, un individu peut retrouver une tension artérielle sécuritaire, et c'est une excellente nouvelle. Selon le Programme éducatif canadien sur l'hypertension: «On constate de plus en plus que chaque intervention visant à modifier le mode de vie de certains patients est aussi efficace qu'une seule dose d'antihypertenseur[5].» Voyons donc comment y parvenir.

Dans le domaine de l'hypertension, nous pouvons d'emblée parler de trois types de traitements, les deux plus importants étant: les traitements préventifs et les traitements non pharmacologiques. Lorsque ces deux traitements ne suffisent pas, il faut en ajouter un troisième type: les traitements pharmacologiques. Faisons donc ici un tour d'horizon de ces solutions possibles aux problèmes liés à l'hypertension.

---

5. Programme éducatif canadien sur l'hypertension. *Les recommandations du Programme éducatif canadien sur l'hypertension 2004: Quels sont les nouveaux éléments et ceux qui demeurent importants*, p. 3.

La première est la voie royale, la route idéale à suivre, il s'agit des traitements préventifs. Plus tôt ces traitements sont adoptés, plus faibles sont les risques d'avoir un jour à souffrir des conséquences de l'hypertension. Idéalement, il s'agira d'un mode de vie sain et équilibré qui commencera à la naissance, qui sera transmis par l'exemple des parents et que l'on continuera à suivre le reste de ses jours. Un exemple: quand les parents ne fument pas, il y a bien des chances pour que les enfants ne le fassent pas non plus. Plus tard, ce sera bien plus facile à cet enfant devenu adulte de continuer à se passer de tabac, que pour un autre qui fume depuis l'âge de 15 ans et qui doit cesser cette habitude néfaste, pour ne pas dire mortelle. La même chose s'applique sur le plan de l'alimentation. Si, lorsque vous êtes enfant, le réfrigérateur est rempli de boissons gazeuses et le garde-manger de croustilles, de gâteaux et de friandises, il y a de forts risques que vous développiez des goûts alimentaires riches en calories. Arrivé à l'âge adulte (et de plus en plus fréquemment même avant, puisque les problèmes d'obésité commencent de plus en plus jeune), vous souffrirez d'embonpoint ou d'obésité. Changer ses habitudes alimentaires se révèle une entreprise de plus en plus difficile au fur et à mesure du vieillissement. Il en va de même en ce qui concerne l'activité physique. Plus on commence tôt dans la vie, plus on y prend goût. Commencer un plan d'exercice physique à 40 ans est beaucoup plus pénible qu'on ne le suppose habituellement.

D'abord, il faut considérer qu'on n'a développé aucun goût ni aucune aptitude particulière envers l'exercice qu'on entreprend. À cette difficulté inhérente, il faut ajouter une capacité cardiaque et respiratoire diminuée avec l'âge, puis une capacité musculaire généralement atrophiée (les muscles qui ne travaillent pas régulièrement s'atrophient). À cette éventail de difficultés s'ajoutent, pour une majorité, le surpoids et le tabagisme. Pour quelqu'un qui pèse 100 kg (220 lb), une marche lente de 20 minutes sera bien plus harassante que s'il ne pesait que 70 kg (150 lb). Imaginez alors la difficulté pour une personne de 100 kg qui fume depuis 25 ans. Les risques sont dès lors très élevés que notre individu trouve l'effort tellement difficile qu'il abandonne rapidement tout exercice physique. Les centres de conditionnement engrangent le maximum d'argent grâce aux abonnements non respectés. Il faut un jour ou l'autre casser le cercle infernal: **S**édentarité, **O**bésité, **T**abagisme. (On pourrait penser à un slogan: Halte au S.O.T.) Plus ce jour arrive tôt dans l'existence d'un individu, plus le changement est facile et durable. Si vous n'avez pas eu la chance d'avoir des parents qui vous ont inculqué de saines habitudes de vie, de grâce devenez des parents qui les enseigneront à leurs enfants. Et la seule manière de prodiguer cet enseignement est par l'exemple. Les enfants apprennent beaucoup plus par l'exemple que par les longs discours. Si nous ne réussissons pas à briser ce triangle mortel que représentent la sédentarité, la cigarette et le surpoids, préparons-nous à voir monter encore plus rapidement les coûts de santé dans un avenir assez rapproché. Et, ce qui est encore plus important, préparons-nous à accepter que nos dernières années d'existence se passent avec une qualité de vie bien diminuée.

Ceux qui n'ont pas eu la chance d'adopter de saines habitudes dès l'enfance devront passer par les traitements non pharmacologiques. Ces traitements visent essentiellement à changer les mauvaises habitudes pour un nouveau mode de vie. La bonne nouvelle, c'est que c'est possible. Difficile oui, mais possible! Ici, il s'agit de mettre le plus d'atouts de son côté pour réussir. Voyons donc comment éloigner les trois ennemis: sédentarité, obésité et tabagisme.

Ne plus être sédentaire ne signifie pas se transformer en médaillé olympique. Il suffit de trouver des activités physiques qui nous plaisent et de s'y adonner régulièrement. La marche, la marche rapide, le jogging, le vélo, la natation, le hockey, le baseball, le badminton, le volleyball, le camping... la liste des possibilités est longue. Il s'agit d'essayer et de choisir les activités qui nous plaisent. Il est de la toute première importance de trouver du plaisir dans les activités sélectionnées. On va rarement abandonner une activité qui nous procure du plaisir. Trouver des activités physiques agréables est la première étape vers la santé.

En ce qui concerne le surpoids et l'obésité, l'effort est un peu plus grand. Disons que si vous avez réussi la première étape en vous adonnant régulièrement à des activités physiques, la suivante sera plus facile. D'abord, les activités physiques permettent de brûler des calories, donc d'accélérer l'amaigrissement. Ensuite, vous constaterez que plus vous perdez de poids, plus agréables deviennent vos activités physiques. C'est un peu comme si la roue se mettait à tourner du bon côté. Avant, vous étiez inactif, vous mangiez plus pour combler vos moments de loisir, vous deveniez plus lourd et l'exercice physique devenait de plus en plus ardu. Maintenant, vous vous amusez en faisant vos activités physiques, vous devenez plus léger et votre plaisir augmente en faisant vos activités. La première mauvaise habitude alimentaire à éliminer est le *junkfood* ou en français, la malbouffe.

Bien des gens ont retrouvé leur poids santé tout simplement en cessant de fréquenter les établissements qui servent ce genre de nourriture. Il est facile de connaître son poids santé. Cela se fait en calculant son IMC (indice de masse corporelle). Vous pouvez calculer votre IMC en prenant votre poids en kilos et en le divisant par votre taille en mètre, au carré. Par exemple, si l'on pèse 68 kg et mesure 1,63 m, on applique la formule: IMC = *poids* kg/(*taille* m)^2. Ce qui donne donc: IMC = 68 / (1,63 x 1,63) = 25,6.

Vous pouvez visiter le site Web de Santé Canada, à l'adresse suivante: www.hc-sc.gc.ca/hpfb-dgpsa/onpp-bppn/bmi_chart_java_f.html

En inscrivant, aux endroits indiqués, votre poids et votre taille, le programme calcule automatiquement votre IMC. Que nous apprend notre IMC? Consultons le tableau suivant:

Classification	**Catégorie de l'IMC (kg/m^2)**	**Risque de développer des problèmes de santé**
Poids insuffisant	< 18,5	Accru
Poids normal	18,5 - 24,9	Moindre
Excès de poids	25,0 - 29,9	Accru
Obésité, classe I	30,0 - 34,9	Élevé
Obésité, classe II	35,0 - 39,9	Très élevé
Obésité, classe III	≥ 40,0	Extrêmement élevé

Source: Santé Canada. *Lignes directrices canadiennes pour la classification du poids chez les adultes*, Ministre des Travaux publics et Services gouvernementaux du Canada, 2003.

Note: dans le cas de personnes de 65 ans et plus, l'intervalle «poids normal» de l'IMC peut s'étendre à partir d'une valeur légèrement supérieure à 18,5, jusqu'à une valeur située dans l'intervalle «excès de poids».

L'IMC vous permet de trouver votre poids normal, celui qui vous rend le moins susceptible d'éprouver des problèmes de santé. Dans l'exemple illustré plus haut, pour notre individu qui mesure 1,63 m, dont l'IMC est légèrement trop élevé, il suffirait de perdre un 500 g pour se retrouver sous la barre de 25. À 79 kg, il souffrirait d'obésité de classe I, et il lui faudrait donc perdre 12 kg pour atteindre son poids santé. Comme on peut le constater, plus on s'éloigne du 25, plus il sera long de reprendre un poids santé. Il ne faut surtout pas se décourager. Vous pouvez demander de l'aide. Votre médecin, une infirmière, une diététiste, le CLSC et plusieurs autres organismes peuvent vous appuyer dans votre démarche. Les écueils à éviter: il faut être d'une prudence extrême envers quiconque vous propose un programme qui vous promet des pertes de poids rapides, surtout si vous devez payer pour accéder à ce programme. Le marché de l'obésité est très lucratif et, régulièrement, surgissent des faiseurs de miracles. Ces charlatans réussissent à coup sûr à faire maigrir vos économies, mais rarement vos graisses. Il vaut mieux perdre du poids lentement en adoptant une alimentation équilibrée et un mode de vie sain que de perdre rapidement de 15 à 20 kg pour retomber ensuite dans les habitudes du passé. Bien des gens ont ainsi joué au yoyo pour finalement se décourager et continuer à prendre du poids. Le but n'est pas d'entreprendre un régime amaigrissant strict, qui vous permettra de pavoiser sur la plage le mois suivant, mais d'atteindre votre IMC idéal pour avoir le maximum de chances d'être en bonne santé pendant les nombreuses années qu'il vous reste à vivre. En gardant bien cet objectif en tête et en continuant de s'adonner régulièrement à des activités physiques agréables, il est possible d'atteindre son poids santé et surtout de le conserver.

Notre dernier ennemi en est un de taille: le tabagisme. Tout a pratiquement été dit sur les méfaits du tabagisme. Les campagnes de publicité des ministères de la Santé nous ont inondés de statistiques toutes plus catastrophiques les unes que les autres. Le site suivant peut vous fournir toute l'information nécessaire et des liens vers d'autres sites d'aide pour ceux qui souhaitent arrêter de fumer: www.info-tabac.ca (voir aussi l'annexe 4 de ce livre).

«Après de multiples échecs dans mes tentatives d'arrêter la cigarette, je m'étais résigné à bien des choses. J'avais accepté de tousser pratiquement continuellement. Je m'étais résigné à l'esclavage de ne jamais pouvoir me passer de la cigarette et je m'étais convaincu que je mourrais très certainement fumeur. Puis un matin, ce fut la catastrophe, la crise d'angine cardiaque. L'ambulance, un mois d'hospitalisation, puis la chirurgie avec cinq pontages coronariens. Les cinq premiers jours furent pénibles, très pénibles. Mais la peur de mourir prend, dans ces occasions, graduellement le dessus et finalement je réussis ce à quoi je ne croyais plus depuis longtemps. À 56 ans, après près de 40 ans de tabagisme, je suis devenu, depuis maintenant six mois, un non-fumeur. Je ne tousse plus, je ne suis plus esclave de ce poison et, en bénéfice secondaire, je me retrouve chaque jour avec 8,50 $ de plus en poche. De ma vie, c'est la réalisation dont je suis le plus fier.»

Jacques Beaulieu,
communicateur scientifique,
coauteur de ce livre.

De plus en plus de gens cessent de fumer. C'est une excellente nouvelle et cela prouve aux fumeurs que c'est possible d'abandonner cette habitude néfaste.

Finalement, parmi les facteurs que l'on peut traiter sans médicament, il faut parler du stress. Bien sûr, une existence sans aucun stress est impossible. La solution consiste souvent non pas à éliminer le stress, mais plutôt à apprendre à bien le gérer. Un patron désagréable peut certes causer bien du stress à un employé. Pour ce dernier, il n'est pas toujours possible de changer d'emploi. Alors, il doit trouver des techniques de gestion de son stress. L'activité physique, des techniques de relaxation, la méditation, la psychothérapie sont toutes des voies de solutions possibles. À vous de découvrir celle qui vous convient le mieux.

Dans la majorité des cas, en respectant un mode de vie sain, la tension artérielle reviendra à la normale. Cependant, pour certaines personnes, ce ne sera pas suffisant; il faudra en plus ajouter une médication. Quels sont donc les médicaments utilisés pour combattre l'hypertension? C'est ce que nous examinerons au chapitre suivant.

Chapitre 4

LES TRAITEMENTS PHARMACOLOGIQUES

Ce chapitre a été écrit avec la précieuse collaboration de Sophie Larouche, pharmacienne, MBA.

LA MÉDICATION

Si vous devez aller vers la médication pour contrôler votre hypertension, une collaboration efficace devra s'établir entre vous, votre médecin et votre pharmacien, ainsi que possiblement d'autres professionnels de la santé (par exemple, un nutritionniste). Meilleure sera cette participation, meilleurs seront les résultats.

LE RÔLE DU PHARMACIEN

Votre pharmacien pourra en effet devenir un allié précieux dans votre lutte contre l'hypertension. Le pharmacien peut, par exemple, lorsque vous allez chercher vos médicaments, vous conseiller sur les modifications de votre mode de vie, voir avec vous ce qui fonctionne mieux ou moins bien. Il peut aussi se renseigner au sujet de votre fidélité au traitement. Si vous ne prenez pas toujours vos médicaments, il vous demandera pourquoi. Est-ce par oubli? Encore une fois, il pourra vous aider à trouver des trucs pour éviter ces oublis ou encore relancer votre motivation en vous parlant des risques associés à l'hypertension. Le rôle du pharmacien dans le traitement des maladies chroniques est en pleine modification. La nouvelle loi 90, Loi modifiant le Code des professions et autres dispositions législatives dans le domaine de la santé, définit un nouveau partage des champs d'exercice entre les médecins, les pharmaciens et les autres professionnels de la santé. Selon cette loi, le médecin peut conclure avec son patient (vous) un ou des objectifs de traitement. Par exemple dans le cas de l'hypertension, le médecin peut vous suggérer de ramener votre tension sous les 130/90 mmHg. En plus des modifications à votre mode de vie qu'il vous suggère, il préconise l'utilisation de médicaments hypotenseurs. Votre pharmacien aura pour mission de contribuer à cet objectif. Il pourra donc dorénavant participer au suivi de ce traitement.

Supposons que votre pression soit, quelques semaines plus tard, à 140/96 mmHg. Le pharmacien pourra modifier la dose, ajouter un médicament ou même en changer, selon une entente préétablie avec le médecin, et il avisera votre médecin de ce changement. Vous n'aurez donc plus toujours besoin de prendre un nouveau rendez-vous avec votre médecin pour modifier un traitement. Comme nous le soulignons ici, vous avez maintenant au moins trois alliés dans votre traitement: vous-même, votre médecin et votre pharmacien. Meilleure sera cette participation, meilleurs seront les résultats. Chaque fois que vous renouvelez une prescription ou selon vos besoins, le pharmacien pourra prendre votre tension artérielle et valider avec vous immédiatement l'efficacité de votre traitement.

Votre pharmacien peut aussi vous conseiller sur le plan des médicaments en vente libre. Par exemple, plusieurs d'entre eux peuvent, chez certaines personnes, faire augmenter la tension, c'est le cas entre autres des anti-inflammatoires, des décongestionnants, de certains produits naturels comme le ginseng, etc. Donc vous pouvez toujours vous adresser à votre pharmacien lorsque vous vous procurez un médicament en vente libre pour voir s'il n'agira pas sur votre tension, sur l'efficacité de vos médicaments ou même s'il y a des risques d'effets secondaires.

VOTRE RÔLE

Deux principes fondamentaux s'appliquent ici: l'honnêteté et la fidélité. L'honnêteté consiste à dire la vérité à vos collaborateurs (médecin et pharmacien). Bien des gens omettent de dire à leur médecin qu'ils ont oublié de prendre leur médication pendant tant ou tant de jours. D'autres n'avoueront pas qu'ils ont commencé à prendre des médicaments naturels pour traiter tel ou tel symptôme. Prenons pour exemple un individu qui prend un produit naturel pour augmenter sa capacité érectile et ne le mentionne pas à son médecin traitant ni à son pharmacien. Voyant que la tension artérielle ne baisse pas, un ajustement dans le traitement pharmacologique est alors nécessaire. Si notre individu constate que son produit naturel n'est pas pleinement efficace, il peut être tenté d'augmenter la dose. Résultat: la tension artérielle pourrait alors augmenter davantage. Vous imaginez bien qu'il ne peut continuer indéfiniment un tel manège sans risques graves pour sa santé à court, moyen ou long terme. Plusieurs médicaments, qu'ils soient d'origine naturelle ou pas, peuvent influencer la tension artérielle. Si vous n'en parlez pas à votre médecin ou à votre pharmacien, ils tenteront d'ajuster les doses pour maintenir votre tension à son niveau sécuritaire. Idéalement, avant de commencer un traitement, parlez-en à votre médecin traitant ou à votre pharmacien. Ils pourront s'assurer avec vous que ce que vous prenez ne présente pas de danger par rapport à votre traitement contre l'hypertension. Les mélanges de médicaments peuvent avoir des effets néfastes sur votre santé.

L'autre élément important a trait à la fidélité au traitement. Comme l'hypertension n'a pas d'effets perceptibles, donc ne provoque pas de douleur par exemple, le fait de contrôler la tension n'aura pas non plus d'effets dont vous serez conscient. C'est facile de se sentir motivé à prendre un médicament quand celui-ci a un effet perceptible. Par exemple, vous souffrez d'arthrite, vous prenez un anti-inflammatoire pour soulager les douleurs. Vous n'oublierez jamais de prendre votre anti-inflammatoire, car la douleur et l'inflammation vous le rappelleront. Avec l'hypertension, quand vous prenez vos médicaments, votre tension se rétablit à la normale, mais vous n'en ressentez aucun effet immédiat. Bien des gens commencent par oublier un soir ou deux de prendre leur pilule, puis une semaine passe et, finalement, elles arrêtent le traitement sans, bien sûr, en parler au médecin. Pour qu'un traitement antihypertenseur soit efficace, il doit être soutenu. Cessez de prendre vos médicaments et vos risques d'avoir des problèmes reviennent aussi vite. Si vous éprouvez le goût d'abandonner, et c'est tout à fait normal, parlez-en avec votre médecin ou avec votre pharmacien avant de prendre votre décision. Votre participation dans votre traitement est essentielle à son succès.

LES MÉDICAMENTS UTILISÉS

Notre but ici n'est évidemment pas d'établir toute la liste des médicaments existants ni leurs effets particuliers et combinés. Il suffit de savoir qu'il existe un grand nombre de médicaments qui peuvent vous aider.

Compte tenu de votre état de santé général, des objectifs thérapeutiques visés et de vos antécédents, votre médecin vous conseillera les combinaisons les plus susceptibles de vous aider. Ces médicaments pourront agir sur les différents organes participant à l'hypertension. Par exemple, les diurétiques agiront sur les reins pour les aider à éliminer plus d'eau. D'autres, par exemple les bêta-bloquants, vont agir sur le cœur en diminuant sa capacité de pousser le sang et sur les vaisseaux sanguins en réduisant leur contraction. Vous entendrez peut-être aussi parler des IECA (inhibiteurs de l'enzyme de conversion de l'angiotensine) qui bloquent la production d'angiotensine II, puissant vasoconstricteur, et diminuent donc la résistance artérielle, ou encore des ARA (antagonistes des récepteurs de l'angiotensine) qui agissent en bloquant les effets de l'angiotensine II. Tous ces médicaments font partie des grandes classes pharmacologiques aptes à participer à votre thérapie. Si vous souffrez de diabète ou si vous êtes enceinte, les médicaments devront être adaptés à votre situation.

De plus, il est possible qu'après une période d'essai, un deuxième ou un troisième médicament s'ajoute à votre médication. En fait, tant que votre objectif thérapeutique ne sera pas atteint, il faudra envisager trois possibilités: augmenter la dose du premier hypotenseur, associer un deuxième hypotenseur ou encore changer d'hypotenseur. Autre situation: il peut arriver qu'en cours de traitement une nouvelle maladie survienne; il faudra alors réévaluer la médication et la réajuster si nécessaire.

CE QUE VOUS DEVEZ SAVOIR SUR VOS MÉDICAMENTS

Il serait souhaitable que vous soyez suffisamment informé sur vos médicaments pour pouvoir répondre aux quatre questions suivantes.

1. Quels sont les effets secondaires les plus fréquents des médicaments que j'utilise?

La réponse à cette question pourrait vous enlever beaucoup de stress et d'anxiété. Si vous ressentez un effet que vous ne connaissez pas, vous pouvez toujours appeler votre pharmacien et lui demander s'il peut s'agir d'un effet secondaire de ce médicament. Si l'effet est particulièrement déplaisant ou encore présente un risque pour votre santé, il sera possible soit de modifier la dose, soit de changer de médicaments.

2. Qu'est-ce que le médicament fait et ne fait pas?

Le ou les médicaments que vous prenez ont des effets précis. Un médicament conçu pour baisser la tension artérielle n'aura aucun effet pour abaisser le taux de cholestérol sanguin, par exemple. Connaître l'action d'un médicament contribue aussi à vous éviter de l'oublier trop souvent. Si l'on ne sait pas trop à quoi ça sert, on est plus porté à le laisser tomber facilement.

3. Quand et comment prendre le ou les médicaments?

Les médicaments ont chacun leur maximum d'efficacité dans des conditions d'absorption différentes. Certains sont plus efficaces s'ils sont pris le matin à jeun, d'autres, au contraire, le seront pris le soir avant le coucher. Si vous êtes bien au courant du «quand» et du «comment» prendre votre médicament, vous augmenterez son efficacité en limitant au minimum ses effets secondaires. Si vous avez plusieurs médicaments à prendre à différents moments, parlez-en à votre pharmacien, il pourra vous indiquer des moyens simples pour vous aider. Certains étuis vous rappellent de prendre vos médicaments à des heures prédéterminées de la journée. Pourquoi ne pas vous faciliter l'existence?

4. Existe-t-il des contre-indications aux médicaments que je prends?

La prise de certains médicaments mêlée à la consommation d'alcool peut quelquefois créer un cocktail peu recommandé. Il ne vous viendrait pas à l'idée de mettre de l'essence et de l'eau dans votre réservoir d'automobile. Vous savez très bien que votre moteur en souffrirait. Il est important de savoir ce que l'on peut consommer sans danger avec sa médication et ce que l'on ne peut pas.

Souvenez-vous qu'en cas de doute ou de désir d'abandon, vous avez deux alliés avec qui vous pouvez communiquer et partager vos questions: votre médecin et votre pharmacien.

Chapitre 5

La fidélisation aux traitements

LA SITUATION ACTUELLE

Bien des personnes ne prennent pas régulièrement leurs médicaments ou, pire encore, cessent totalement de les prendre sans aucun avis médical. Selon un document publié par l'Ordre des pharmaciens du Québec[6], le problème de la non-observance touche plus de 70 % des patients. Ceux-ci utilisent moins de 50 % de leurs médicaments pour le traitement de maladies chroniques. L'inobservance serait à la base de 5,5 % des admissions hospitalières[7].

6. Document de consultation, États généraux de la pharmacie, Ordre des pharmaciens du Québec, 29 janvier 2002.

7. SULLIVAN, S.D., D.H. KRELING et T.K. HAZLET. «Noncompliance with medication regimens and subsequent hospitalizations: a literature analysis and cost of hospitalization estimate», *Journal of Research in Pharmaceutical Economics*, vol. 2, n° 2, 1990, p. 19-33.

UN TÉMOIGNAGE PERSONNEL

Jacques Beaulieu (coauteur)

«Après des études universitaires en biologie, il a participé comme auteur-recherchiste à plus d'une centaine d'émissions de la télésérie *Science et technologie* à l'antenne du réseau TVA au début des années 80, a réalisé une trentaine de productions vidéo sur la santé, entre autres avec l'Institut Armand-Frappier et l'Institut Pasteur de Paris, et a écrit une vingtaine de livres sur la santé sans compter une soixantaine de chroniques dans divers magazines. Il est décédé à l'âge de 55 ans parce qu'il a rarement mis en pratique ce qu'il a enseigné toute sa vie.»

Telle aurait pu être mon épitaphe, en ce matin du 26 mars 2004. Une situation des plus banales, que j'avais décrite des dizaines de fois. Je me réveille aux aurores, avec une douleur qui s'apparente, au début, à un problème digestif. Instinctivement, je me rends à la salle de bains, espérant me soulager. Une fois bien éveillé, je me dis que je n'ai aucune raison d'avoir ces douleurs, le repas de la veille n'ayant pas été tellement copieux, à bien y réfléchir. Puis la douleur se précise tant par son intensité que par sa localisation. Elle part du sternum et irradie jusque dans le cou. Chez mon fils, où mon épouse et moi sommes arrivés la veille, cinq ou six marches séparent la salle de bains du salon. Elles me paraissent aussi pénibles que l'escalade de l'Everest. À peine au sommet, je m'affaisse sur un canapé avec l'étrange et terrifiante impression qu'un éléphant a posé sa patte au milieu de mon thorax et appuie de plus en plus fortement. Micheline, ma femme, se rendant compte que quelque chose ne va pas, appelle mon fils qui à son tour fait venir les ambulanciers. On m'interroge, puis on me vaporise un liquide sous la langue. Comme j'ai décrit cette scène dans une vidéo sur la réanimation cardiaque et repris le même scénario pour une bonne dizaine de chroniques et quelques autres ouvrages, je sais pertinemment que mon problème est d'ordre cardiaque et que le liquide à saveur de menthe qu'on m'administre est de la nitroglycérine. Soudain, un bon mal de tête s'ajoute spontanément aux douleurs thoraciques. L'ambulancier m'informe que la nitro en est responsable. Je ne savais pas que cela pouvait avoir cet effet. C'est l'une des premières choses que j'apprends ce jour-là. Le reste de l'avant-midi et les semaines qui suivent vont m'en apprendre bien plus encore. De grand professeur, je change instantanément de statut pour me transformer en un élève tout ce qu'il y a de plus médiocre.

Trois semaines plus tard, je suis assis sur le bord de mon lit d'hôpital et j'écris ces mots, me rappelant très précisément ce qu'un cardiologue m'a dit, il y a une bonne quinzaine d'années: «Habituellement, c'est après un deuxième infarctus que les gens n'apportent pas leur ordinateur portable à l'hôpital.» Ou bien je suis un bien mauvais élève, un vrai cancre, ou bien il est temps que je cesse de réfléchir et me mette sérieusement à vous parler avec mon cœur. Vous parler de l'autre côté de la médaille, du statut de patient, alors que toutes les certitudes s'écroulent parce qu'il ne s'agit plus d'une statistique, il s'agit d'une personne, il s'agit de moi. Et souvent, moi, j'ai peur. Que s'est-il passé durant ces trois semaines?

Reprenons le voyage depuis l'arrivée des ambulanciers chez mon fils, à 250 km de chez moi. Une fois bien ficelé sur la civière, je me suis rendu compte que la douleur était toujours aussi intense. Pas un instant je n'ai eu peur de mourir. Pour être tout à fait honnête, mon seul souhait était que cette douleur s'arrête. Je me souviens très bien avoir laissé échapper une larme en passant près de mon épouse. Dans son regard, j'ai vu combien elle était triste à la simple mais réelle idée que je puisse ne plus revenir. Mais je savais que je n'y pouvais rien. Vous connaissez cette phrase: *Tiens bon, ne nous quitte pas, accroche-toi!* De la pure foutaise. J'ai essayé, je n'avais absolument aucun contrôle sur ma douleur, sur la rapidité des battements de mon cœur, etc. Je tentais de me détendre, d'adopter diverses positions, rien n'y faisait. La douleur et les battements de mon cœur étaient entièrement indépendants de mes états d'âme et de ma volonté. Il semble que mon cœur se fichait bien du fait que je veuille vivre ou pas. C'était lui et uniquement lui qui décidait. Alors, s'il vous arrive d'être à côté d'un malade qui risque de mourir, s'il vous plaît, laissez-le tranquille. Moi, j'ai été chanceux; ni ma conjointe, ni mon fils, ni son épouse ne se sont mis à me demander de m'accrocher, de résister. C'est peut-être bon au cinéma pour ajouter à l'effet dramatique, mais dans la vie réelle, sachez qu'un mourant ne meurt pas parce qu'il se laisse aller. Il n'a pas le choix. Alors un peu de compassion, ne l'accablez pas! Comprenez bien qu'il n'a pas la maîtrise des événements.

D'ailleurs, par-delà la douleur, c'est justement ce sentiment, cette impression profonde que je perds le contrôle qui commence à m'envahir graduellement. Mon fils demande aux ambulanciers de me transporter à l'hôpital Laval, un centre spécialisé en cardiologie. Ceux-ci décident de m'emmener plutôt à l'hôpital du Saint-Sacrement. C'est plus près et ils ne veulent pas courir de risque. Quand j'entends le nom de cet hôpital, ma gorge se serre encore d'un cran. Mon épouse y a accouché de notre fille Marie, il y a 28 ans, alors que j'avais trouvé un emploi au ministère de l'Agriculture à Québec. De 1976 à 1979, nous avons donc habité Québec. Mais à la fin de 1978, notre fille Marie a été atteinte d'une leucémie foudroyante si bien qu'elle est décédée à peine six semaines après le diagnostic. Le retour à l'hôpital du Saint-Sacrement éveille de bien tragiques souvenirs. Mais là-dessus non plus, je n'ai pas de contrôle.

Chemin faisant, on s'informe de l'état de mes douleurs. On me demande, sur une échelle de 0 à 10, 0 étant sans douleur et 10 la plus grande douleur, à quel chiffre j'évalue ma douleur. Je réponds 8. Ç'aurait pu être 7, 9 ou 10, je ne savais pas trop quoi répondre. Deuxième constat: je ne m'étais jamais vraiment rendu compte combien une question, en soi fort simple, pouvait devenir embêtante et complexe quand le degré d'émotivité et de douleur est élevé.

Il faudrait surtout pour les divers intervenants, médecins, personnel infirmier et de soutien, trouver des façons d'éviter le piège de l'infantilisation des patients. J'ai compris pourquoi c'était si facile pour vous d'adopter ces manières, le patient se sentant lui-même incompétent.

Avant de quitter la maison de mon fils, imaginez-vous que je me suis excusé. Je me sentais honteux de provoquer tant de troubles et d'anxiété. C'est pour dire à quel point on devient fragile.

Je constatais que le temps était venu de passer à la caisse, de rembourser les «emprunts» que j'avais contractés sur ma santé. Il me faut avouer que j'avais toujours eu cette pensée magique que la science médicale étant en constante évolution, elle trouverait certainement un remède, le moment venu, aux maux dont je pourrais souffrir. Un problème cardiaque? Pas grave, les pontages sont devenus aujourd'hui une chirurgie de routine, et hop! de nouveau en pleine forme.

Il y a six mois aujourd'hui, j'ai subi un quintuple pontage coronarien. J'y ai survécu certes, mais ce fut loin de ce que mon imagination m'avait proposé...

D'abord, c'est loin d'être facile. C'est douloureux et ça exige une bonne dose de courage pour se relever très graduellement et reprendre ses activités. La peur est omniprésente, avant et après la chirurgie. Je n'ai pas encore réussi à retrouver la capacité de travail que j'avais avant la maladie.

Il me faut faire certains aveux peu reluisants. Il y a quatre ou cinq ans, lors d'une analyse sanguine de routine, on a découvert que mon taux de cholestérol était très élevé. Malgré une diète stricte, le taux ne revenait pas à un niveau normal. Le médecin me prescrivit donc un médicament qui abaisse le taux de cholestérol sanguin. Un peu comme l'hypertension artérielle, l'hypercholestérolémie (taux de cholestérol sanguin trop élevé) ne provoque aucune douleur ni autre symptôme apparent. J'ai donc pris la fameuse pilule régulièrement pendant sept ou huit mois. Le médicament me coûtait autour de 30 $ par mois. Un jour, je décidai de sauter un mois, puis deux. Finalement, j'arrêtai ma thérapie. Après tout, une économie de 30 $ par mois était bienvenue. Puis, un de mes proches trouva un emploi dans l'entreprise pharmaceutique qui fabrique ce médicament. Je pourrais donc l'obtenir gratuitement. Je recommençai ma thérapie préventive. Au bout de quelques mois, je me mis à oublier de prendre mon médicament pendant un jour, puis deux, puis une semaine. Finalement, j'arrêtai à nouveau. J'ai ainsi compris que le facteur financier que j'invoquais si aisément n'était en fait qu'un prétexte à mon insouciance. Je puis vous assurer que depuis l'opération je prends mes médicaments avec une fidélité absolue.

Dans cette même veine de confidences, ce fameux matin de mars 2004, alors même que nous écrivions ce livre, le Dr Christian Fortin m'attendait dans un restaurant de Québec, où nous devions déjeuner ensemble pour parler de l'ouvrage. C'est mon fils qui l'avisa de mon malaise cardiaque. Le Dr Fortin pensa immédiatement: «J'espère qu'au moins cela lui fournira la motivation suffisante pour arrêter de fumer.»

Effectivement, à ce moment, la cigarette faisait encore partie de ma vie. Malgré mes connaissances scientifiques, j'avais encore des doutes sur les dangers réels du tabagisme, un peu comme ce médecin, président de l'Association médicale américaine, qui au début des années 50 ne croyait pas vraiment aux liens entre le tabagisme et le cancer du poumon et qui mourut, il y a quelques années, du... cancer du poumon.

LA FIDÉLITÉ AUX TRAITEMENTS

C'est bien vrai que la médecine peut quelquefois réparer certaines de nos erreurs. Si vous cessez d'être prudent face à votre hypertension artérielle et que vous faites un AVC, il peut arriver que vous n'en mourriez pas sur-le-champ. Il se peut aussi qu'après une période plus ou moins longue vous puissiez avec l'aide de physiothérapeutes réapprendre à marcher, à parler, etc. Vous pourrez, comme moi, reprendre le cours de votre vie, avec certaines séquelles néanmoins. Vous vous rendrez alors compte du prix que vous aurez eu à payer en termes de douleurs et d'efforts pour pallier votre insouciance.

Le bon vieux proverbe qui dit: «Mieux vaut prévenir que guérir» semble s'oublier si facilement et malheureusement si souvent...

Chapitre 6

Participer à son traitement

LA PRISE DE LA TENSION ARTÉRIELLE

L'un des premiers apprentissages qu'il vous faudra faire est la prise de la tension artérielle. Comme vous allez le voir, il existe plusieurs types de sphygmomanomètre (appareil servant à lire la tension artérielle). Celui que nous connaissons tous, car nous l'avons souvent vu manipulé par le médecin ou l'infirmière, est composé d'un manchon qu'on glisse autour du bras, d'une poire pour gonfler le manchon et d'un stéthoscope avec lequel on peut entendre les pulsations sanguines au niveau de l'artère humérale (artère qui passe du côté interne du coude). D'autres appareils ont aussi fait leur apparition sur le marché. La lecture des résultats est facilitée sur ce type d'appareil. Sur certains, le manchon est gonflé par une poire, comme avec le sphygmomanomètre traditionnel; sur d'autres, une pompe activée par une pile est intégrée à l'appareil. Quel que soit votre choix, assurez-vous auprès du pharmacien qui vous vend l'appareil que celui-ci répond aux normes en vigueur, que le manchon est de la bonne taille pour votre bras et qu'il vous convient bien. Il existe des manchons de diverses grandeurs qui seront utilisés selon le diamètre de votre bras.

Circonférence du bras	**Taille du manchon**
De 18 à 26 cm	9 cm x 18 cm (enfant)
De 26 à 33 cm	12 cm x 23 cm (adulte standard)
De 33 à 41 cm	15 cm x 33 cm (grand, obèse)
Plus de 41 cm	18 cm x 36 cm (très grand, obèse)

L'idéal est de prendre sa tension deux fois par jour, le matin et le soir. Il faut aussi veiller à éviter toute source d'excitation lorsqu'on prend sa tension. Le principe est de prendre sa tension sans se laisser influencer par des causes externes qui pourraient contribuer à augmenter cette tension.

Ainsi, assurez-vous de ne pas avoir pris de café au moins une heure avant de prendre votre tension.

La caféine étant un excitant, elle pourrait faire monter votre tension. D'ailleurs, la prise de tout autre produit contenant des stimulants devrait être évitée. Ces produits incluent les boissons gazeuses au cola, qui contiennent aussi de la caféine. Les vaporisateurs nasaux contenant de la phényléphrine ou de la pseudoéphédrine peuvent aussi provoquer une augmentation de la tension. Donc, si vous venez d'utiliser un tel vaporisateur nasal, attendez une heure avant de prendre votre tension. Ceux qui n'ont pas encore pu se débarrasser de l'esclavage de la cigarette doivent s'abstenir de fumer au moins de 15 minutes à 30 minutes avant la prise de la tension. Il faut aussi avoir vidé sa vessie. Sinon, une envie d'uriner pourrait fausser les résultats. Prenez votre tension avant de prendre vos médicaments hypotenseurs. Prévoyez un endroit calme et confortable et ne portez pas de vêtements serrés sur le bras ou l'avant-bras. Ne prenez pas votre tension si vous souffrez de douleurs aiguës.

Maintenant, installez-vous confortablement en ayant soin d'avoir le dos et l'avant-bras que vous utiliserez bien appuyés. On ne prend pas la tension avec le bras pendant dans le vide. Il doit donc être confortablement soutenu. Il est aussi important que les pieds soient bien posés au sol et les jambes non croisées. Installez le manchon sur le bras à la hauteur du cœur, c'est à ce niveau que la lecture sera la plus fidèle.

Une fois le manchon bien en place, localisez, en écoutant avec le stéthoscope, l'artère humérale. Une fois celle-ci bien localisée, avec la poire augmentez rapidement la pression dans le manchon pour qu'elle dépasse d'au moins 30 mmHg le niveau auquel on n'entend plus le pouls. Si en pompant vous n'entendez plus le pouls à environ 130 mmHg, continuez à pomper pour atteindre 160 mmHg. Puis, faites descendre la pression d'environ 2 mmHg par seconde. Le premier bruit sec et bien défini que vous entendrez sera le chiffre de votre tension systolique. Si vous étiez à 160 mmHg et n'entendiez rien, et à 142 mmHg vous entendez une pulsation nette, retenez ce chiffre, puis continuez à laisser descendre au même rythme. Lorsque vous n'entendrez plus de pulsations, retenez ce deuxième chiffre, c'est celui de votre tension diastolique. Notez sur une feuille ces deux chiffres en commençant par le plus élevé: par exemple, 142/92. Vous pouvez arrondir vos chiffres au chiffre pair le plus rapproché. Par exemple, s'il vous semblait que c'était vers 141, arrondissez à 142. Lorsque le chiffre que vous avez noté se termine par un zéro ou un cinq, arrondissez au chiffre pair suivant: par exemple, 140 deviendra 142, et 90 deviendra 92. Ce n'est qu'une question de conventions. Lorsque l'appareil donne lui-même les chiffres, notez-les tels qu'ils sont, sans arrondir. Ainsi, s'il est écrit sur le tableau de l'appareil 140/90, notez 140/90. Il est toujours conseillé de prendre deux fois la tension et de noter le meilleur résultat (le plus bas).

Gardez un tableau de vos données, comme celui qui vous est proposé ici.

Tableau hebdomadaire des données

JOUR	MATIN	SOIR
Dimanche		
Lundi		
Mardi		
Mercredi		
Jeudi		
Vendredi		
Samedi		

Vous devrez le présenter à votre médecin au moment de votre prochaine visite. D'ailleurs, lorsque vous commencez à prendre votre tension artérielle, il est préférable, au moins pour votre première visite chez votre médecin, d'apporter l'appareil que vous utilisez et de faire une démonstration de votre technique devant lui. Votre médecin pourra vous conseiller ou encore recalibrer votre appareil si besoin est.

Il existe un grand choix d'appareils dont les prix varient de quelques dizaines de dollars à plus de 100 dollars. Certains sont plus faciles d'utilisation, mais tous peuvent répondre à vos attentes. Parlez-en à votre médecin et à votre pharmacien; ils pourront vous aider à choisir celui qui vous convient le mieux. Au Canada, les appareils qui sont conformes aux normes internationales portent cette mention: «Endossé par la Coalition canadienne pour le contrôle et la prévention de l'hypertension.»

LA PRISE DES MÉDICAMENTS

De plus en plus nombreux sont les patients qui désirent connaître la teneur des médicaments qui leur sont prescrits ainsi que leurs effets secondaires potentiels. Une telle affirmation passe aujourd'hui sans provoquer aucun heurt. Il y a 50 ans, un patient n'aurait jamais osé poser une telle question à son médecin et encore moins à son pharmacien. Prendre part à son traitement, c'est aussi connaître son traitement. Il est donc nécessaire que vous sachiez ce que vous prenez, pourquoi vous le prenez et à quoi vous devez vous attendre. Fixez avec votre médecin l'objectif à atteindre et les moyens que vous prendrez pour y parvenir. Ces moyens incluront OBLIGATOIREMENT des modifications dans votre mode de vie, tel que nous en avons déjà discuté: entre autres, éviter la triade S.O.T. (sédentarité, obésité, tabagisme). Dans bien des cas, une médication sera prescrite. Vous devez aussi participer activement à cette décision. S'il vous arrive d'oublier de prendre vos médicaments, notez le jour où vous avez commis cet oubli et les circonstances qui y ont présidé. Si de tels oublis sont fréquents, parlez-en à votre pharmacien ou à votre médecin, ils pourront vous aider à trouver des solutions efficaces. Mais surtout, n'abandonnez jamais un traitement de vous-même, sans en parler AVANT avec votre médecin ou votre pharmacien. Si jamais vous ressentez des effets secondaires désagréables, rappelez-vous ceci: tout médicament actif, c'est-à-dire efficace, a un ou des effets secondaires. Si cet effet vous est désagréable, parlez-en à votre médecin; il pourra soit changer de médicament, soit ajuster la dose.

TESTEZ VOTRE FIDÉLITÉ

Voici un petit questionnaire qui pourra vous aider à vérifier votre fidélité à votre traitement.

Question 1

Ce matin, avez-vous oublié de prendre vos médicaments?

Question 2

Quand vous est-il arrivé pour la dernière fois d'oublier de prendre vos médicaments?

→

Question 3
Prenez-vous toujours vos médicaments à la même heure?

Question 4
Éprouvez-vous une certaine crainte quand vous prenez vos médicaments?

Question 5
Avez-vous souvent l'impression de prendre ces médicaments pour rien?

Question 6
Pendant combien de temps pensez-vous pouvoir omettre de prendre vos médicaments sans augmenter vos risques de maladies graves comme un AVC?

Discutez de vos réponses avec votre médecin. Il est de première importance que vous vous fassiez bien expliquer les conséquences de l'hypertension non traitée. L'idée n'est pas de se faire peur, mais bien de comprendre, en toute connaissance de cause, les risques encourus et de prendre une décision logique en ce sens. Car abandonner un traitement, ce n'est pas logique; pourtant plus de la moitié des hypertendus le font. Force est de constater que l'information ne passe pas toujours.

SE PRENDRE EN MAIN

Les statistiques concernant l'hypertension révèlent que le quart des Canadiens âgés entre 18 et 70 ans sont hypertendus; il s'agit donc de près de 8 millions de personnes. Si l'on ne considère que les personnes âgées de 65 ans et plus, une personne sur deux souffre d'hypertension.

La revue médicale *Lancet* classe l'hypertension au premier rang mondial des causes de décès attribuables à différents facteurs de risque. En comparaison, les MTS, dont fait partie le sida, arrivent loin derrière, au cinquième rang. Il est donc important de se prendre en main et de prendre part à son traitement.

Comme on le décrit dans l'annexe 3, les bienfaits associés aux traitements de l'hypertension se font sentir quel que soit votre âge. Chez les patients de moins de 60 ans, le traitement de l'hypertension diminue les risques d'AVC de 42 %. Il diminue aussi le risque d'événements coronariens (blocage des artères coronariennes ou rupture d'anévrisme de ces artères) de 14 %. C'est loin d'être négligeable.

Chez les personnes de 60 ans et plus, le traitement contribue à une réduction du taux global de mortalité de 20 %, à une réduction du taux de mortalité d'origine cardiovasculaire du tiers, à une réduction de la fréquence d'AVC de 40 % et à une réduction du taux de coronaropathie de 15 %.

Votre participation active à votre traitement vous apporte donc bien des bénéfices, pour aujourd'hui et pour plus tard.

Chapitre 7

L'HYPERTENSION ET AUTRES CONDITIONS

INDIVIDUALISER LES TRAITEMENTS

L'hypertension est une affection qui réagira différemment aux traitements, surtout pharmacologiques, selon les conditions. L'hypertension ne se traite pas de la même façon chez un homme que chez une femme; et chez une femme enceinte ou non. Certains médicaments n'ont aucun effet sur les personnes de race noire. De plus, comme nous l'avons déjà souligné, il n'est pas rare que l'hypertendu souffre d'autres problèmes de santé liés ou non à son hypertension.

Jetons ici un bref coup d'œil à ces différentes conditions présentes chez certaines personnes.

L'HYPERTENSION SIMPLE, SANS AUTRE CONDITION PRÉSENTE

Ici, il s'agit d'une personne qui a un problème d'hypertension sans autre maladie. Nous parlons donc d'hypertension simple. Deux possibilités se présentent: ou bien les deux mesures de tension (systolique et diastolique) sont au-dessus de leur normale respective, ou bien seule l'hypertension systolique est anormalement élevée. Dans le premier cas, on parlera d'hypertension sans autre indication formelle, par exemple un patient se présente avec une pression de 150/100 et n'a pas d'autres maladies connues.

Dans le second cas, on parlera d'hypertension systolique isolée sans autre indication formelle; on aura par exemple un patient qui affichera une pression de 150/90.

Dans tous les cas d'hypertension sans autre indication formelle, l'objectif thérapeutique sera de ramener la tension artérielle sous les seuils de 140 et 90. Habituellement, on commencera les traitements avec un seul médicament et on ajustera, si besoin est.

L'HYPERTENSION AVEC AUTRES CONDITIONS PRÉSENTES

Bien sûr, d'autres maladies peuvent être présentes. La présence de maladies du rein, de diabète, d'angine, d'antécédents d'infarctus du myocarde, d'insuffisance cardiaque ou d'AVC va constituer une situation particulière où l'objectif thérapeutique et le traitement devront être adaptés à chaque individu.

Par exemple, l'objectif thérapeutique ne sera plus de 140/90, mais de 125/75, si le patient souffre d'une maladie rénale grave. Il est donc primordial de comprendre que le traitement et les objectifs de traitement peuvent différer d'un individu à l'autre, selon la condition de chacun.

L'hypertension et la femme enceinte

Au chapitre 13 du *Guide thérapeutique de la Société québécoise de l'hypertension artérielle*, Ghislaine Couture, M.D., et Alain Milot, M.D., M.Sc., soulignent que: «L'hypertension artérielle (HTA) est la complication médicale de la grossesse la plus fréquente. Elle survient chez 10 % à 15 % des primigestes et 2 % à 5 % des multigestes. Le tiers de ces cas sont des hypertensions gestationnelles sans ou avec protéinurie (pré-éclampsie)[8].»

Il est donc important de vérifier souvent la tension artérielle pendant la grossesse. De nos jours, la plupart des femmes enceintes bénéficient de visites

---

8. *Guide thérapeutique de la Société québécoise de l'hypertension artérielle*, décembre 2001, p. 105.

régulières chez leur médecin pendant la grossesse, et le dépistage de l'hypertension gestationnelle en est d'autant facilité. Des traitements peuvent être prescrits pour éviter des complications graves tant pour la mère que pour le fœtus. Comme le soulignent encore les Drs Ghislaine Couture et Alain Milot: «En effet, un suivi vigilant permet de détecter plus précocement les signes avant-coureurs de complications potentiellement dangereuses et d'intervenir rapidement si nécessaire[9].»

HYPERTENSION ET DIABÈTE

Au Canada, la moitié des personnes qui souffrent du diabète éprouvent aussi des problèmes d'hypertension. Comme le diabète a un effet néfaste sur les parois des vaisseaux sanguins et que l'hypertension augmente la pression du sang sur ces mêmes parois, la combinaison hypertension-diabète peut augmenter bien des risques. Souvent, l'hypertension surviendra en premier. Lorsque le diabète arrive, il faut alors tenter d'abaisser les valeurs cibles de l'hypertension. Par exemple, si notre objectif thérapeutique était de maintenir la tension sous les valeurs 140/90 mmHg, lorsque le diabète est diagnostiqué, on visera plutôt des valeurs sous les 130/80 mmHg. Voir annexe 6: le diabète.

---

9. *Guide thérapeutique de la Société québécoise de l'hypertension artérielle*, décembre 2001, p. 111.

Une étude publiée dans la revue scientifique *American Journal of Hypertension* en novembre 2001[10] révélait que les Américains contrôlent deux fois mieux leur hypertension que les Canadiens. L'étude a démontré que pour l'ensemble des populations canadienne et américaine, les diabétiques souffrant d'hypertension au Canada affichent un niveau de contrôle (9 %) de beaucoup inférieur à celui (36 %) des diabétiques souffrant d'hypertension aux États-Unis. En fait, il faudra inverser totalement cette tendance en insistant particulièrement auprès des diabétiques sur les bienfaits d'atteindre les objectifs thérapeutiques du traitement de l'hypertension.

---

10. JOFFRES, M.R., P. HAMET, D.R. MACLEAN, G.J. L'ITALIEN et G. FODOR. «Distribution of blood pressure and hypertension in Canada and the United States», *American Journal of Hypertension*, 2001, n° 14, p. 1099-1105.

Conclusion

Malgré toutes les mises en garde et la quantité effarante d'informations proposées tant par les milieux médicaux et pharmaceutiques que par les sources médiatiques et informatiques, l'hypertension continue ses ravages et contribue, encore aujourd'hui, à parfaire sa réputation de tueuse silencieuse.

Les statistiques n'émeuvent malheureusement plus beaucoup de nos jours, tellement nous sommes inondés de chiffres tous plus sensationnels les uns que les autres. Le cancer tue des millions de personnes, le cœur aussi, le sida affiche ses statistiques alarmantes, et la liste pourrait s'étirer *ad nauseam*. Que faire alors? Peut-être se soumettre à un petit exercice que nous vous suggérons.

Installez-vous le plus confortablement possible et imaginez que vous ne soyez plus jamais capable de vous relever seul de ce fauteuil. Réfléchissez-y bien! Quelle sera la première personne que vous allez contacter? Comment allez-vous la joindre? Est-elle à portée de voix? Sinon, quelqu'un viendra-t-il chez vous bientôt? Combien de temps devrez-vous attendre dans ce fauteuil? Y a-t-il un téléphone à portée de votre main? Ouf, oui! Mais votre main ne veut pas bouger? Vous voulez crier? Aucun son ne sort de votre bouche. Alors pensez que pendant un mois, deux mois, six mois, un an, deux ans, le reste de vos jours qui sait, vous serez dans cet état et que, pour vos moindres activités, vous aurez besoin d'aide.

Le scénario vous paraît improbable. Réfléchissez aux facteurs de risque. Fumez-vous? Souffrez-vous d'embonpoint ou d'obésité? Aimez-vous manger bien salé? Votre seul sport consiste-t-il à regarder le hockey à la télévision? L'un de vos proches parents (père, mère, oncle, tante, sœur ou frère) souffre-t-il d'hypertension artérielle? Prenez-vous souvent plus de deux verres d'alcool par jour? L'un de vos parents est-il décédé de problèmes cardiaques ou vasculaires? Quand avez-vous pris la mesure de votre tension artérielle la dernière fois? Souffrez-vous d'autres maladies comme le diabète, une des maladies cardiovasculaires ou une néphropathie (maladie du système rénal)?

Chaque réponse positive conduit à une augmentation du risque. L'hypertension n'est pas anodine. Elle représente un important facteur de risque pour les maladies suivantes:

- maladie vasculaire cérébrale (AVC, par exemple);
- coronaropathie (maladie des artères coronariennes qui nourrissent le cœur);
- insuffisance cardiaque;
- insuffisance rénale;
- maladie vasculaire périphérique;
- démence (maladie d'Alzheimer);
- fibrillation auriculaire.

Pour en venir à bout, il y a trois étapes:

1. connaître les risques que peut représenter l'hypertension artérielle;
2. obtenir un diagnostic;
3. suivre les recommandations du traitement.

Ce sont ces étapes que nous avons tentées du mieux possible de vous expliquer tout au long de cet ouvrage. Si l'une ou l'autre ne vous semble pas claire, discutez-en au plus tôt avec votre médecin traitant.

L'avenir ne s'annonce guère réjouissant. En 1999, une étude porta sur 3 700 jeunes de 9, 13 et 16 ans au Québec; les résultats furent publiés en septembre 2004 dans la revue médicale *Circulation*. De

13 % à 29 % des enfants et adolescents québécois ont une tension artérielle anormalement élevée. Selon un article d'André Noël dans *La Presse*: «Ces données inquiétantes ont une cause bien précise: l'épidémie d'obésité[11]...»

L'un des auteurs de l'enquête, le Dr Paradis, ajoute: «Il faut, et de façon urgente, renforcer les messages d'une saine alimentation. Le problème est que d'un côté se trouvent les chaînes comme McDonald's qui dépensent des milliards de dollars en publicité, et de l'autre côté se trouve la santé publique, qui a une fraction de leurs moyens. On assiste à une lutte de David contre Goliath, et on n'a pas une grosse fronde pour affronter Goliath.»

C'est certain qu'avec l'épidémie d'obésité qui sévit aujourd'hui, notre société se prépare à des légions d'hypertendus, de diabétiques et de paraplégiques pour l'avenir. Quand on sait que les systèmes de santé sont déjà à bout de souffle en ce qui concerne le financement et les ressources humaines, on a peine à s'imaginer ce à quoi cet ensemble ressemblera dans 10, 20 ou 30 ans.

---

11. NOËL, André. «Tension artérielle chez les jeunes, encore l'obésité», *La Presse* (cyberpresse.ca), 29 septembre 2004.

Par contre, l'aspect encourageant est que chacun d'entre nous peut contrôler sa propre personne. C'est comme si chacun possédait la clé de son propre système de santé. Voilà une bonne nouvelle. Par ailleurs, les recherches scientifiques se poursuivent et pourraient faire des percées importantes tant sur le plan du diagnostic que celui des traitements. Par exemple, la protéine C réactive, une protéine sanguine jouant un rôle dans les mécanismes d'inflammation, semble être un marqueur susceptible de faciliter le dépistage de l'hypertension. Des chercheurs du Bringham and Women's Hospital, sous la gouverne du professeur Howard Sesso, ont suivi une cohorte de 20 525 femmes pendant près de huit ans[12]. Au cours de cette étude, 5 365 femmes sont devenues hypertendues; un lien a alors été découvert entre l'apparition de l'hypertension et le taux de cette fameuse protéine dans le sang de ces femmes[13]. On a peut-être découvert ici un marqueur qui nous indiquera qu'une personne est plus susceptible de souffrir un jour d'hypertension. Si cette personne est au courant de cette probabilité et modifie son rythme de vie en conséquence, elle risque de ne jamais faire de l'hypertension.

---

12. SESSO, H.D. et al. «C-Reactive protein and the risk of developing hypertension», *JAMA*, 2003, n° 290, p. 2945-2951.

13. *Le médecin du Québec*, vol. 39, n° 3, mars 2004.

Si j'agis ici et aujourd'hui, dans 10, 20 et 30 ans j'aurai bien moins de risque d'avoir besoin d'un système de santé pour pousser mon fauteuil roulant et changer ma couche. Ça, c'est une excellente nouvelle.

Annexes

Annexe 1

Classification de la tension artérielle (en mmHg) selon l'Organisation mondiale de la Santé

Catégorie	Tension systolique	Tension diastolique
Optimale	Moins de 120	Moins de 80
Normale	Moins de 130	Moins de 85
Normale élevée	130 - 139	85 - 89
Grade 1: • Sous-groupe limite	140 - 149 • 140 - 149	90 - 99 • 90 - 94
Grade 2	160 – 179	100 - 109
Grade 3	180 et plus	110 et plus
Hypertension		
Systolique isolée • Sous-groupe limite	140 et plus • 140 - 149	Moins de 90 • Moins de 90

Annexe 2

Évaluation des risques sur une période de 10 ans[14]

	Pression artérielle en mmHg				
Nombre de facteurs de risque additionnels et présence d'autres maladies	NORMALE 120-129/80-84	NORMALE ÉLEVÉE 130-139/85-89	GRADE 1 140-159/90-99	GRADE 2 160-179/100-109	GRADE 3 Plus de 179/ plus de 109
I: Aucun autre facteur de risque	Risque moyen	Risque moyen	Risque légèrement augmenté	Risque moyennement augmenté	Risque élevé
II: 1 ou 2 facteurs de risque	Risque légèrement augmenté	Risque légèrement augmenté	Risque moyennement augmenté	Risque moyennement augmenté	Risque très élevé
III: 3 facteurs de risque ou plus, atteintes d'organes ou diabète	Risque moyennement augmenté	Risque élevé	Risque élevé	Risque élevé	Risque très élevé
IV: Pathologies associées	Risque élevé	Risque très élevé	Risque très élevé	Risque très élevé	Risque très élevé

Risques de maladie coronarienne au cours des 10 prochaines années (CHD Framingham)	Moins de 15 %	Entre 15 % et 20 %	Entre 20 % et 30 %	Plus de 30 %
Risques de mortalité par maladie cardiovasculaire	Moins de 4 %	Entre 4 % et 5 %	Entre 5 % et 8 %	Plus de 8 %

14. Adapté de «Recommendations on hypertension», *Journal of Hypertension*, OMS, 2003, vol. 21, n° 6.

Annexe 3

Les bienfaits du traitement de l'hypertension artérielle[15]

- **Chez les personnes de moins de 60 ans**

Réduction du risque d'AVC de 42 %.
Réduction du risque d'événements coronariens de 14 %.

- **Chez les personnes de plus de 60 ans**

Réduction du taux global de mortalité de 20 %.
Réduction du taux de mortalité d'origine cardiovasculaire de 33 %.
Réduction de la fréquence d'AVC de 40 %.
Réduction du taux de coronaropathie de 15 %.

15. Programme d'éducation canadien sur l'hypertension.

Annexe 4

Je relève le Défi

L'annexe 4 est une gracieuseté d'ACTI-MENU,
promoteur du «Défi J'arrête, j'y gagne!»,

DÉFINITION DU DÉFI «J'ARRÊTE, J'Y GAGNE!»

Initié par ACTI-MENU en janvier 2000, le Défi «J'arrête, j'y gagne!» est une campagne provinciale de cessation tabagique s'adressant à tous les fumeurs qui souhaitent se libérer du tabac. La période d'inscription se déroule chaque année du 1er janvier au 1er mars.

Les participants s'engagent, avec l'appui d'un parrain ou d'une marraine de leur choix, à ne pas fumer pendant au moins six semaines. En contrepartie, ils bénéficient de nombreuses ressources pour les soutenir dans leur démarche et profitent de l'extraordinaire esprit d'entraide et de respect qui caractérise le Défi. Des prix provinciaux et régionaux sont aussi offerts pour saluer l'effort des nouveaux ex-fumeurs et celui des parrains et marraines.

Cette initiative québécoise s'inspire du grand défi mondial «Quit & Win», organisé depuis 1994 dans de nombreux pays du monde par l'Organisation mondiale de la Santé. L'OMS a d'ailleurs souligné la participation d'ACTI-MENU en remettant le prix mondial au grand gagnant de la campagne 2002 du Défi «J'arrête, j'y gagne!».

IMPACT DE LA CAMPAGNE 2004

• Un des moyens les plus efficace de cessation tabagique au monde.

• 28 % des participants au Défi sont toujours non-fumeurs après 1 an.

• En comparaison, ce sont 6 % des personnes qui arrêtent seules et sans aide qui sont toujours non-fumeurs après 1 an.

• En 2002, 55,4 % des participants ont utilisé une méthode d'aide à la cessation et 76 % de ce nombre ont utilisé des «patches» ou des timbres de nicotine.

	N'a pas fumé durant les 6 semaines du Défi	N'a pas fumé pendant les 6 mois suivant le Défi	N'a pas fumé pendant les 12 mois suivant le Défi
Défi 2000	65,7 %	35,6 %	28,8 %
Défi 2002	68,8 %	36,5 %	28,0 %
Défi 2003	67,0 %	34,0 %	28,0 %
Défi 2004	70,0 %	À venir	À venir

J'ARRÊTE DE FUMER
JE RELÈVE LE DÉFI

SIX ACTIONS POUR SE DÉTACHER, POUR ARRÊTER, POUR ME DÉPASSER, POUR RÉUSSIR!

- 1 -
LE POINT DE DÉPART : LA MOTIVATION !

Pour cesser de fumer, il faut avant tout être motivé. Vous l'êtes probablement déjà, mais s'il vous reste encore quelques hésitations :

- Informez-vous sur **les avantages d'une vie sans fumer** et sur les méfaits du tabac, en visitant des sites Internet tels que **www.defitabac.qc.ca** et **www.jarrete.qc.ca**.
- Profitez de **l'expérience des ex-fumeurs** de votre entourage.
- Consultez votre médecin ou votre pharmacien pour connaître les **aides pharmacologiques** qui pourraient vous convenir.

- 2 -
JE ME PRÉPARE

Une bonne préparation est la clé du succès pour réussir à cesser de fumer : on fait d'abord le point, puis on s'organise.

- 3 -
JE FAIS LE POINT

CE QUI ME MOTIVE À CESSER DE FUMER

Les avantages de vivre sans fumer sont nombreux ! Notez ceux qui vous motivent le plus à passer à l'action. Conservez vos notes : elles seront précieuses quand vous aurez besoin d'un regain de motivation.

DES AVANTAGES MOTIVANTS

- ◻ Diminuer mes risques de maladie et de mort prématurée.
- ◻ Augmenter ma qualité de vie (être plus en forme, avoir plus d'énergie et de souffle, retrouver les sens du goût et de l'odorat, etc.).
- ◻ Protéger la santé de mon entourage (avec plus de 4 000 substances chimiques, dont 50 cancérigènes, la fumée de cigarette est toxique pour les fumeurs et pour l'entourage qui la respire) .
- ◻ Donner l'exemple aux jeunes
- ◻ Protéger la planète (1 arbre gaspillé pour 300 cigarettes, 4 500 milliards de mégots non biodégradables jetés chaque année).
- ◻ Épargner de l'argent (2 paquets par semaine, c'est plus de 800 $ par année, 1 paquet par jour, c'est plus de 2 900 $...).
- ◻ Diminuer les risques d'incendie.
- ◻ Refuser d'encourager une industrie qui prend ma santé, ma liberté et mon argent.
- ◻ Me sentir mieux dans ma peau (avoir des dents plus blanches, en finir avec l'haleine et l'odeur de cigarette...).
- ◻ Être à l'aise dans les environnements sans fumée et ne plus être obligé d'aller fumer dehors.
- ◻ Autres raisons.

LES OBSTACLES QUE JE POURRAIS RENCONTRER

Dressez la liste des obstacles que vous craignez de rencontrer et la liste de vos solutions. Si vous pensez, par exemple, avoir le goût de fumer en présence d'autres fumeurs, vous pourriez éviter les situations « enfumées » pour quelques semaines et demander aux personnes de votre entourage de ne pas fumer en votre présence.

MES HABITUDES DE FUMEUR

Dans les semaines qui précèdent le jour J, chaque fois que vous prenez une cigarette, remarquez l'heure, l'endroit, l'activité, les personnes présentes et les raisons qui vous incitent à fumer.

Après quelques temps, vous connaîtrez mieux vos habitudes et vous serez en mesure de prévoir des moyens pour les déjouer.

Si vous fumez davantage dans les moments de stress, par exemple, apprendre quelques exercices de respiration ou de relaxation pourrait vous aider. Si vous prenez toujours une cigarette après les repas, prévoyez de prendre une gomme ou de vous laver les dents pour éloigner la tentation.

MES TENTATIVES PASSÉES

Si vous avez déjà essayé d'arrêter de fumer, prenez conscience des stratégies qui ont bien marché et des situations qui vous ont fait recommencer. Tirez profit de ces informations en misant sur vos bons coups et en évitant les pièges du passé.

- 4 -
JE M'ORGANISE

JE FIXE LA DATE À LAQUELLE JE VEUX ARRÊTER

Prévoyez assez de temps pour vous préparer, mais ne fixez pas une date trop éloignée, vous risqueriez de perdre votre motivation. Marquez le jour J d'une façon spéciale dans votre agenda.

JE M'INFORME SUR LES MÉTHODES D'AIDE POUR CESSER DE FUMER

On comprend mieux l'utilité des méthodes d'aide à la cessation lorsqu'on sait que la cigarette entraîne une dépendance aussi forte que la cocaïne ! En ajoutant à votre volonté une aide pharmacologique, comme les thérapies de remplacement de la nicotine (timbres et gomme) ou les comprimés de bupropion, **vous pouvez presque doubler vos chances de réussir à cesser de fumer.**

Consultez votre médecin ou votre pharmacien pour déterminer quel traitement vous convient le mieux et pour connaître les produits couverts par votre régime d'assurance. Quelle que soit la méthode choisie, suivez bien le mode et la durée d'utilisation recommandée.

Quant aux méthodes alternatives, comme l'hypnose ou l'acupuncture, aucune étude scientifique n'a confirmé l'efficacité de ces approches pour lutter contre la dépendance au tabac.

JE PRÉPARE MA TROUSSE

Rassemblez des objets pour déjouer vos habitudes de fumeur et diminuer le stress, tels que : balle anti-stress, gratte-dos, trombones ou élastiques pour occuper vos mains, crudités, brins de persil, bonbons sans sucre, cure-dents ou pailles pour porter à la bouche.

JE PRÉVIENS LE GAIN DE POIDS

Misez dès maintenant sur des habitudes de vie gagnantes qui vous aideront à contrôler votre poids, tout en vous apportant détente et énergie.

- Buvez beaucoup d'eau.
- Faites de l'activité physique presque tous les jours.
- Optez pour une alimentation qui donne priorité aux fruits et légumes, aux produits céréaliers à grains entiers, aux poissons, légumineuses et viandes maigres, ainsi qu'aux produits laitiers faibles en matières grasses. Mettez la pédale douce sur le sucre et le gras.

JE FAIS LE GRAND MÉNAGE

Lavez ou faites nettoyer tapis, rideaux, couvre-lits, murs... Vous serez moins tenté de laisser à nouveau la fumée de tabac envahir votre environnement. Déclarez votre maison et votre auto «milieu sans fumée».

JE DIMINUE GRADUELLEMENT MA CONSOMMATION DE CIGARETTES

Vous apprendrez petit à petit à vous passer de nicotine et vous prendrez confiance en votre capacité de vivre sans tabac.

JE ME PROCURE UNE TIRELIRE

Vous trouverez sans doute encourageant d'accumuler l'argent réservé jusque-là aux cigarettes. Avec ces nouvelles épargnes, offrez-vous des compensations pour vos efforts.

JE ME DÉBARRASSE DE MES ARTICLES DE FUMEURS

Éliminez cigarettes, briquets, cendriers.... tout ce qui pourrait vous faire penser à fumer. Mettez des gommes sans sucre à votre portée et du pot-pourri dans le cendrier de l'auto.

- 5 -
J'ARRÊTE

VOICI QUELQUES SUGGESTIONS POUR TRAVERSER AVEC SUCCÈS LE JOUR J... ET CEUX QUI SUIVENT.

□ **J'avance pas à pas**

Abordez les défis un à un, au jour le jour, sans penser plus loin. Repoussez les pensées négatives et gardez confiance. Chaque cigarette à laquelle vous résistez est une victoire : soyez-en fier!

□ **J'apprivoise le sevrage**

La privation de nicotine peut provoquer des effets indésirables, plus ou moins intenses selon les personnes, comme des maux de tête, de l'irritation, de l'insomnie. Ces symptômes du sevrage sont variables d'une personne à l'autre et disparaissent généralement après quelques semaines. Les traitements pharmacologiques, comme les timbres ou la gomme de nicotine et les comprimés de bupropion, aident à les contrôler. Si vous avez opté pour une de ces méthodes, respectez le traitement tel que prescrit. Consultez votre pharmacien ou votre médecin si vous avez des questions ou des inquiétudes.

□ Je surmonte les envies de fumer

Souvent fortes et fréquentes au début, les envies de fumer diminuent et s'éteignent avec le temps. Elles ne durent en général que quelques minutes. Pour leur résister, essayez ces trucs qui ont fait leur preuve: boire de l'eau; mordiller un bâton de cannelle ou une paille; respirer lentement par le nez; appeler un ami. Vous en trouverez certainement d'autres !

□ J'évite les situations qui m'incitent à fumer

Stress, café, alcool, présence de fumeurs ? Vous connaissez les moments et les situations où vous étiez porté à fumer davantage. Les éviter pendant quelques temps pourra vous aider à briser la force des habitudes.

□ J'apprécie les bienfaits de ma nouvelle vie sans tabac

Prenez le temps d'observer les avantages de vivre sans tabac : plus de souffle et d'énergie, moins de risques de maladie, odeur de cigarette disparue, fierté et confiance accrues, économies...

□ Je prends le temps de me récompenser

Se libérer du tabac est une démarche exigeante. Prenez le temps de vous détendre chaque jour. Offrez-vous de petites récompenses : une semaine, un mois, un an sans fumer... ça se fête !

□ Je me rappelle les méfaits du tabac

Le tabac est un ennemi majeur de la santé, tant pour les fumeurs que pour les personnes exposées à la fumée ambiante. Il tue 12 000 Québécois chaque année. La liste de ses méfaits est longue: maladies cardiovasculaires, cancers, asthme, emphysème, bronchite, ostéoporose, ulcères, perte de dent, ménopause précoce, problèmes menstruels, otites, etc.

□ Je suis fier du chemin que j'ai parcouru

Vous avez tenu bon jusqu'ici : bravo ! Ne laissez pas vos efforts s'envoler en fumée. Continuez, vous êtes capable !

- 6 -
DU SOUTIEN POUR MIEUX RÉUSSIR

Tous les ex-fumeurs le disent : c'est plus facile d'arrêter de fumer quand on se sent soutenu.

MON ENTOURAGE

Avisez les gens qui vous entourent de votre décision d'arrêter de fumer. Dites-leur que vous souhaitez obtenir leur compréhension et leurs encouragements. Si vous jugez préférable d'éviter certaines personnes pour quelque temps, parce que vous craignez d'être tenté de fumer en leur présence, informez-les de vos intentions : elles comprendront.

JE CHOISIS UN PARRAIN OU UNE MARRAINE

Choisissez dans votre entourage une personne qui acceptera de vous « parrainer ».
Son rôle : être disponible dans les moments difficiles et partager votre fierté devant les victoires quotidiennes. Ses principales qualités : elle écoute, elle ne juge pas et elle sait se montrer patiente.

MES AUTRES RESSOURCES

- Branchez-vous sur le site Internet **www.defitabac.qc.ca**. Profitez de ses nombreuses rubriques: témoignages, trucs, forums, courriels d'aide, renseignements sur les ressources disponibles dans votre région et bien plus encore !
- Appelez la ligne **J'ARRÊTE, 1 888 853-6666**, pour des services d'aide gratuits et confidentiels, et pour localiser le **Centre d'abandon du tabagisme** le plus près de chez vous.
- Visitez également d'autres sites utiles: **www.jarrete.qc.ca; www.cancer.ca; www.fmcoeur.ca.**

ARRÊTER AVEC LE DÉFI «J'ARRÊTE, J'Y GAGNE!»

Chaque année depuis 2000, des dizaines de milliers de fumeurs dans toutes les régions du Québec font leurs premiers pas vers une vie sans tabac en s'inscrivant au Défi québécois « J'arrête, j'y gagne ! ».

Les participants s'engagent à ne pas fumer pendant six semaines, soit du 1er mars au 11 avril, avec l'appui d'un parrain ou d'une marraine de leur choix. En plus de profiter d'un climat d'entraide stimulant, ils courent la chance de gagner des prix. La période d'inscription au Défi se déroule à compter du 1er janvier de chaque année.

Pour en savoir plus : **www.defitabac.qc.ca**

TRUC PRATIQUE : LE JOURNAL SANS FUMÉE

Tenir un « journal sans fumée » peut être une façon agréable de garder la trace de vos réflexions. Il s'agit simplement de vous procurer un cahier et d'y noter les informations importantes pour vous, comme vos habitudes de fumeur et ce qui vous motive à cesser de fumer.

Le journal peut servir tout au long de votre démarche : pour vous défouler ou éclaircir vos émotions, pour vous changer les idées quand vous avez envie de fumer.

Si le cœur vous en dit, ajoutez-y une touche de créativité, des mots d'encouragement de votre entourage, des photos de vos enfants, des mots de félicitations...

Annexe 5

Nous remercions la Fondation
des maladies du coeur du Québec pour
leur généreuse contribution.

HYPERTENSION
QUOI DE NEUF ?
Recommandations canadiennes 2004

Groupe de travail du programme éducatif canadien
sur l'hypertension

Auteurs-ressources pour la version française

Denis Drouin M.D., Médecin conseil, Organisation des Services, Santé cardiovasculaire, Direction de la Santé publique de Québec

Alain Milot, M.D., M.Sc., F.R.C.P. (c), Médecine interne et Pharmacologie, Polyclinique vasculaire, C.H.U.Q., Hôpital Saint-François d'Assise

Révision : Comité de rédaction Les actualités du cœur

Danielle Pilon, M.D., M.Sc., FRCPC, Centre hospitalier de l'Université de Sherbrooke

Francine Forget Marin, MBA, Dt.P., Chef d'équipe Services professionnels, FMCQ

Hélène Poirrier, M.Sc., Coordonnatrice, Alliance québécoise pour la santé du cœur, FMCQ

L'année 2004 est la cinquième année où le Programme éducatif canadien sur l'hypertension (PECH) met à jour ses recommandations pour la prise en charge de l'hypertension. L'objectif du programme est double : 1) offrir aux cliniciens une perspective consensuelle fondée sur l'analyse critique des données des études cliniques les plus récentes afin d'assurer une meilleure prise en charge de plus de cinq millions de Canadiens souffrant d'hypertension et 2) utiliser ces mises à jour pour renforcer les éléments clés d'un programme de traitement optimal de l'hypertension. À certains points de vue, l'aspect le plus surprenant en 2004 est la naissance d'une convergence entre ce que nous réserve l'avenir au chapitre du traitement de l'hypertension et ce qui constitue les valeurs sûres, toujours valables, pour la maîtrise de la pression artérielle (PA) et des complications athéroscléreuses qui s'y rattachent. Ainsi, les principaux messages qui se dégagent des recommandations de 2004 sont les suivants :

I. Quoique très importante, la maîtrise de la PA n'est qu'un des aspects de la stratégie globale de protection vasculaire des patients atteints d'hypertension.
II. Les modifications au mode de vie sont les mesures les plus importantes du plan de traitement pour maîtriser la PA et le risque athéroscléreux global.

QUELS SONT LES ÉLÉMENTS CLÉS DANS LA MISE À JOUR DE 2004?

Les recommandations de 2004 tiennent compte de toutes les études cliniques des douze derniers mois jugées pertinentes en ce qui concerne le traitement de l'hypertension. À noter que la version intégrale des recommandations du PECH de 2004 se penche de façon détaillée sur chacune des études et des méta-analyses qui ont servi pour la mise à jour (disponible sur Internet : www.chs.md).

La maîtrise de la PA demeure un objectif crucial, mais élusif, dans la prise en charge de l'hypertension. Par contre, malgré son importance, elle doit être perçue comme un des aspects parmi d'autres de la stratégie anti-athéroscléreuse. Les principaux messages qui sont ressortis des délibérations de 2004 ont mis en lumière quatre éléments importants :

1) La capacité de réduire les complications liées à l'hypertension auprès de l'ensemble de la population atteinte d'hypertension dépend davantage du degré d'abaissement de la PA que du choix de l'un ou l'autre des «médicaments de première intention».

Les études retenues pour la mise à jour de 2004 ont confirmé les recommandations précédentes à l'effet que n'importe laquelle des cinq classes de médicaments jugées capables de réduire les complications cardiovasculaires chez les sujets atteints d'hypertension constitue un choix approprié en monothérapie de première intention chez ces patients. On parle donc des diurétiques thiazidiques, des bêta-bloquants pour les patients âgés de moins de 60 ans, des inhibiteurs de l'enzyme de conversion de l'angiotensine (ECA) pour les patients autres que ceux de race noire, des bloquants des canaux calciques dihydropyridiniques à longue durée d'action et des antagonistes des récepteurs de l'angiotensine (ARA). Il faut rappeler que, comme par les années passées, les recommandations de prise en charge de l'hypertension formulées par le PECH se fondent uniquement sur des données d'efficacité. Autrement dit, les préférences des patients et des médecins et le rapport coût-efficacité des différentes classes de médicaments n'entrent pas du tout en ligne de compte dans le processus de mise à jour. Cette approche reflète l'importance accordée à la médecine factuelle pour les recommandations et le manque de données pharmaco-économiques pertinentes, rigoureuses et fiables.

2) **Pour les patients atteints d'hypertension, la stratégie de protection vasculaire doit tenir compte de l'administration possible de statines et d'acide acétylsalicylique (AAS) en plus des modifications au mode de vie.**

Le rôle des statines chez les patients atteints d'hypertension

Au départ, il faut souligner que le Groupe de travail canadien sur l'hypercholestérolémie et les autres dyslipidémies a de son côté formulé des recommandations à l'intention des patients hyperlipidémiques[1]. À cet égard, la majorité des patients atteints d'hypertension et présentant des facteurs de risque d'athérosclérose ou de maladies cardiovasculaires concomitantes doivent être traités pour réduire leur taux de cholestérol des lipoprotéines de basse densité (LDL). Pour notre part, nous avons plutôt fait porter nos discussions sur une sous-catégorie de patients hypertendus dont les taux lipidiques se trouvaient dans les limites acceptables et à qui l'on n'avait jamais recommandé de statines. Il s'agit d'un groupe important, puisque la majorité des événements cardiovasculaires surviennent chez des patients dont les taux de lipides se situent dans la moyenne de la population. Pour soutenir cette recommandation, quatre grandes études cliniques ont été jugées pertinentes : l'Anglo-Scandinavian Cardiac Outcomes Trial-Lipid Lowering Arm (ASCOT-LLA)[2], la Prospective Study of Pravastatin in the Elderly at Risk (PROSPER)[3], la Heart Protection Study (HPS)[4] et l'Antihypertensive and Lipid-Lowering Treatment to Prevent Heart Attack Trial (ALLHAT-LLT)[5]. On peut prendre connaissance de ces études et de leur impact sur les recommandations actuelles en consultant le texte intégral des recommandations du PECH 2004[6].

S'appuyant sur ces quatre études cliniques, les recommandations du PECH 2004 préconisent l'utilisation des statines chez les patients hypertendus chez qui elles ne sont pas contre-indiquées et qui souffrent d'une maladie athéroscléreuse ou qui présentent trois facteurs de risque cardiovasculaires ou plus selon la définition de l'étude ASCOT-LLA. Ces facteurs sont : le fait d'être de sexe masculin, le fait d'être âgé de 55 ans ou plus, le diabète de type 2, le tabagisme, un rapport cholestérol total-cholestérol des lipoprotéines de haute densité (HDL) › 6, la microalbuminurie ou la protéinurie, l'hypertrophie ventriculaire gauche (HVG), la maladie vasculaire périphérique, des antécédents d'accident vasculaire cérébral (AVC) ou d'accident ischémique transitoire (AIT) et des antécédents familiaux de maladie cardiovasculaire précoce.

Le rôle de l'AAS chez les patients atteints d'hypertension

La recommandation d'envisager un traitement avec l'AAS chez les patients souffrant d'hypertension se fonde principalement sur une réévaluation des résultats de l'étude Hypertension Optimal Treatment (HOT)[7] et dans le contexte d'une importance croissante accordée à la protection vasculaire globale chez les patients hypertendus. Cependant, la prudence s'impose lorsqu'on utilise l'AAS chez cette population. En effet, une analyse a posteriori des données de l'étude HOT donne à penser que les bienfaits de l'AAS ont pour une bonne part été observés chez les patients dont la PA était moins élevée, alors que d'autres études (par exemple la Physicians' Health Study[8]) ont fait état d'une augmentation légère (et non significative) des hémorragies intracérébrales associées au traitement avec l'AAS.

Ainsi, pour 2004, nous recommandons fortement d'envisager désormais l'ajout de l'AAS au schéma thérapeutique des patients âgés de 50 ans et plus atteints d'hypertension, mais seulement après que leur PA ait été maîtrisée.

3) **Les inhibiteurs de l'ECA sont recommandés pour le traitement de tous les patients atteints d'athérosclérose établie (tableau 1).**

Les inhibiteurs de l'ECA constituent l'une des cinq classes de médicaments recommandées en monothérapie initiale chez les patients hypertendus. Nous conseillons aussi leur ajout chez les patients hypertendus souffrant d'athérosclérose ou présentant de multiples facteurs de risque, et ce, même si un autre antihypertenseur maîtrise déjà leur PA. Cette recommandation se fonde sur les données regroupées de plusieurs études, notamment la Heart Outcomes Prevention Evaluation (HOPE)[9] et l'European Trial on Reduction of Cardiac Events Among Patients with Stable Coronary Artery Disease (EUROPA)[10].

Ainsi, en nous basant en partie sur les résultats de ces deux études, nous recommandons désormais le recours à un inhibiteur de l'ECA en traitement initial ou en traitement d'appoint chez tous les patients hypertendus atteints de maladie coronarienne (et qui ne présentent aucune contre-indication), même si un autre antihypertenseur maîtrise déjà leur PA.

4) **Les bêta-bloquants, les inhibiteurs de l'ECA et les antagonistes de l'aldostérone sont recommandés pour le traitement des patients souffrant d'insuffisance cardiaque congestive (ICC) et d'hypertension.**

En ce qui concerne les patients qui souffrent d'ICC systolique et d'hypertension, le traitement doit débuter par : a) un inhibiteur de l'ECA et b) un bêta-bloquant. Pour les patients qui font partie des classes III ou IV de la New York Heart Association (NYHA) ou les patients qui ont récemment subi un infarctus du myocarde, on doit envisager un antagoniste de l'aldostérone. À noter que la spironolactone est le seul antagoniste de l'aldostérone offert actuellement au Canada.

Si l'on se fonde sur les données de l'étude Candesartan in Heart Failure Assessment of Reduction in Mortality and Morbidity (CHARM-ALTERNATIVE)[11] et sur l'analyse d'un sous-groupe de l'étude Valsartan Heart Failure (Val-HeFT)[12], les ARA sont recommandés lorsqu'il y a intolérance aux inhibiteurs de l'ECA. En outre, un inhibiteur de l'ECA peut être administré avec un ARA si la PA n'est pas maîtrisée.

Les recommandations sur le mode de vie ont été mises à jour cette année, car les preuves s'accumulent à l'effet que les modifications au mode de vie, autrefois appelées «mesures non pharmacologiques», sont autant bénéfiques pour les patients hypertendus que pour les patients normotendus. Un meilleur mode de vie prévient non seulement l'hypertension, mais exerce aussi des effets hypotenseurs considérables. De plus, les modifications au mode de vie sont importantes tant en traitement initial qu'en traitement d'association avec la pharmacothérapie. Chaque intervention sur le plan du mode de vie a le pouvoir de réduire la PA de façon équivalente à une dose standard d'antihypertenseur chez certains patients. Il est possible de combiner différentes interventions liées au mode de vie pour réduire davantage la PA.

En ce qui a trait à l'activité physique, une récente analyse systématique a confirmé l'efficacité d'exercices dynamiques modérés (30 à 45 minutes, trois à cinq fois par semaine) à réduire la PA chez les patients hypertendus et chez la population générale normotendue. L'exercice physique régulier entraîne une réduction moyenne de la PA semblable à celle que l'on obtient avec un antihypertenseur standard.

Par ailleurs, de légères augmentations de l'indice de masse corporelle (IMC) exercent des effets nuisibles sur la maîtrise de la PA, alors que chaque kilogramme de poids perdu permet de réduire la PA d'environ 2/1 mm de Hg.

Pour ce qui est des recommandations diététiques, les effets indésirables d'une consommation excessive d'alcool (plus de 14 consommations par semaine pour les hommes et plus de 9 par semaine pour les femmes) doivent être rappelés aux patients atteints d'hypertension. Au Canada, on estime que 8 % des cas d'hypertension chez les hommes sont attribuables à une consommation excessive d'alcool.

Les patients hypertendus et ceux chez qui la prévention de l'hypertension est un objectif doivent être avisés des bienfaits d'un régime alimentaire de type DASH pour maîtriser la PA, distincts des bienfaits liés à la perte de poids. Le régime DASH réduit la PA autant qu'un antihypertenseur en monothérapie, même en l'absence de perte de poids. Il s'agit d'un régime riche en fruits et légumes frais, en noix, en légumineuses et en produits laitiers à faible teneur en gras, et faible en acides gras saturés.

À noter, au chapitre de la réduction de la PA, que les effets d'un régime alimentaire hyposodé chez les patients hypertendus et les patients normotendus mais sensibles au sel (les Canadiens d'origine africaine, les patients âgés de plus de 45 ans et les personnes souffrant d'un dysfonctionnement rénal ou de diabète) s'ajoutent aux bienfaits de la réduction de poids et d'un régime DASH.

Il est bien sûr difficile de convaincre les patients d'adopter un meilleur mode de vie. Le rythme effréné de la société d'aujourd'hui ne facilite pas la pratique régulière d'activités physiques et l'adoption d'une alimentation saine. Or, même une brève rencontre avec le médecin augmente la probabilité qu'un patient adopte certaines mesures positives. Les approches multidisciplinaires globales sont les plus efficaces. Par contre, il faut reconnaître que l'environnement détermine considérablement le mode de vie. Ainsi, les organisations professionnelles et bénévoles, les instances gouvernementales locales, provinciales et fédérales, les organisations communautaires de même que les industries de la santé et de l'alimentation doivent toutes encourager les changements en ce sens, de façon à promouvoir des politiques, des infrastructures et des ressources favorisant un meilleur mode de vie.

Tableau 1 : Facteurs à considérer pour l'individualisation du traitement antihypertenseur

FACTEUR DE RISQUE/ MALADIE	TRAITEMENT DE PREMIÈRE INTENTION	TRAITEMENT DE DEUXIÈME INTENTION	NOTE ET MISE EN GARDE
HYPERTENSION SANS AUTRE INDICATION FORMELLE	Diurétiques thiazidiques, bêta-bloquants, inhibiteurs de l'ECA, ARA ou BCC dihydropyridiniques à longue durée d'action (envisager AAS et statines chez certains patients)	Associations de médicaments de première intention	Les alpha-bloquants ne sont pas recommandés en monothérapie initiale. Les bêta-bloquants ne sont pas recommandés en monothérapie chez les patients de plus de 60 ans. Il faut éviter l'hypokaliémie en utilisant des agents d'épargne potassique chez les patients prenant des diurétiques. Les inhibiteurs de l'ECA ne sont pas recommandés en monothérapie chez les patients de race noire.
HYPERTENSION SYSTOLIQUE ISOLÉE SANS AUTRE INDICATION FORMELLE	Diurétiques thiazidiques, ARA ou BCC dihydropyridiniques à longue durée d'action	Associations de médicaments de première intention	Il faut éviter l'hypokaliémie en utilisant des agents d'épargne potassique chez les patients prenant des diurétiques.
DIABÈTE AVEC NÉPHROPATHIE	Inhibiteurs de l'ECA ou ARA	Addition de diurétiques thiazidiques, bêta-bloquants cardiosélectifs, BCC à longue durée d'action ou association ARA + inhibiteur de l'ECA	—
DIABÈTE SANS NÉPHROPATHIE	Inhibiteurs de l'ECA, ARA ou diurétiques thiazidiques	Associations de médicaments de première intention ou addition de bêta-bloquants cardiosélectifs et de BCC à longue durée d'action	Si le taux de créatinine sérique est > 150 mmol/L, il faut utiliser un diurétique de l'anse pour remplacer les diurétiques thiazidiques à faible dose afin de maîtriser le volume (si nécessaire).
ANGINE	Bêta-bloquants (envisager sérieusement l'ajout inhibiteurs de l'ECA)	BCC à longue durée d'action	Éviter la nifédipine à courte durée d'action.
ANTÉCÉDENTS D'INFARCTUS DU MYOCARDE	Bêta-bloquants et inhibiteurs de l'ECA	Associations d'agents additionnels	—
INSUFFISANCE CARDIAQUE	Inhibiteurs de l'ECA, bêta-bloquants et spironolactone (ARA si intolérance aux inhibiteurs de l'ECA)	Hydralazine/dinitrate d'isosorbide ou diurétiques thiazidiques ou de l'anse comme traitement d'appoint	Éviter les BCC non dihydropyridiniques à longue durée d'action (diltiazem, vérapamil).
ANTÉCÉDENTS D'AVC OU D'ICT	Associations inhibiteur de l'ECA + diurétique	—	La réduction de la PA diminue les événements vasculaires cérébraux récurrents.
NÉPHROPATHIE	Inhibiteurs de l'ECA (diurétiques en traitement d'appoint)	Associations d'agents additionnels (ARA si intolérance aux inhibiteurs de l'ECA)	Éviter les inhibiteurs de l'ECA en cas de sténose bilatérale des artères rénales.
HVG	Inhibiteurs de l'ECA, ARA, BCC dihydropyridiniques, diurétiques (bêta-bloquants pour les patients de moins de 55 ans)	—	Éviter l'hydralazine et le minoxidil.
MALADIE VASCULAIRE PÉRIPHÉRIQUE	Traitement de l'HTA sans autre indication formelle	Traitement de l'HTA sans autre indication formelle	Éviter les bêta-bloquants lorsque la maladie est grave.
DYSLIPIDÉMIE	Traitement de l'HTA sans autre indication formelle	Traitement de l'HTA sans autre indication formelle	

ECA : enzyme de conversion de l'angiotensine. **ICT** : ischémie cérébrale transitoire.
ARA : antagoniste des récepteurs de l'angiotensine II. **BCC** : bloquant des canaux calciques

Références

1- Genest J, Frohlich J, Fodor G, McPherson R. *Recommendations for the management of dyslipidemia and the prevention of cardiovascular disease: summary of the 2003 update*; CMAJ 2003;169 (9).

2- Sever PS, Dahlof B, Poulter NR, Wedel H, Beevers G, Caulfield M, Collins R, Kjeldsen SE, Kristinsson A, McInnes GT, Mehlsen J, Nieminen M, O'Brien E, Ostergren J; ASCOT investigators. *Prevention of coronary and stroke events with atorvastatin in hypertensive patients who have average or lower-than-average cholesterol concentrations, in the Anglo-Scandinavian Cardiac Outcomes Trial-- Lipid Lowering Arm (ASCOT-LLA): a multicentre randomised controlled trial.* Lancet. 2003;361(9364):1149-58.

3- Shepherd J, Blauw GJ, Murphy MB, Bollen EL, Buckley BM, Cobbe SM, Ford I, Gaw A, Hyland M, Jukema JW, Kamper AM, Macfarlane PW, Meinders AE, Norrie J, Packard CJ, Perry IJ, Stott DJ, Sweeney BJ, Twomey C, Westendorp RG; PROSPER study group. *PROspective Study of Pravastatin in the Elderly at Risk. Pravastatin in elderly individuals at risk of vascular disease (PROSPER): a randomised controlled trial.* Lancet. 2002;360(9346):1623-30.

4- Heart Protection Study Collaborative Group. *MRC/BHF Heart Protection Study of cholesterol lowering with simvastatin in 20,536 high-risk individuals: a randomised placebo-controlled trial.* Lancet. 2002;360(9326):7-22.

5- ALLHAT Officers and Coordinators for the ALLHAT Collaborative Research Group. The Antihypertensive and Lipid-Lowering Treatment to Prevent Heart Attack Trial. *Major outcomes in moderately hypercholesterolemic, hypertensive patients randomized to pravastatin vs usual care: The Antihypertensive and Lipid- Lowering Treatment to Prevent Heart Attack Trial* (ALLHAT-LLT). JAMA. 2002;288(23):2998-3007.

6- BR Hemmelgarn, KB Zarnke, NRC Campbell, et al. *The 2004 Canadian Hypertension Education Program recommendations for the management of hypertension: Part I – Blood pressure measurement, diagnosis and assessment of risk.* Can J Cardiol. 2004;20(1):31-40.

7- Hansson L, Zanchetti A, Carruthers SG, Dahlof B, Elmfeldt D, Julius S, Menard J, Rahn KH, Wedel H, Westerling S. *Effects of intensive blood-pressure lowering and low-dose aspirin in patients with hypertension: principal results of the Hypertension Optimal Treatment (HOT) randomised trial.* HOT Study Group. Lancet. 1998;351(9118):1755-62.

8- [No authors listed] *Final report on the aspirin component of the ongoing Physicians' Health Study*. Steering Committee of the Physicians' Health Study Research Group. N Engl J Med. 1989;321(3):129-35.

9- The Heart Outcomes Prevention Evaluation Study Investigators. *Effects of an angiotensin-converting-enzyme inhibitor, ramipril, on cardiovascular events in high-risk patients.* N Engl J Med 2000;342:145-53.

10- Fox KM; EURopean trial On reduction of cardiac events with Perindopril in stable coronary Artery disease Investigators. *Efficacy of perindopril in reduction of cardiovascular events among patients with stable coronary artery disease: randomised, double-blind, placebo-controlled, multicentre trial (the EUROPA study).* Lancet. 2003;362(9386):782-8.

11- Granger CB, McMurray JJ, Yusuf S, Held P, Michelson EL, Olofsson B, Ostergren J, Pfeffer MA, Swedberg K; CHARM Investigators and Committees. *Effects of candesartan in patients with chronic heart failure and reduced leftventricular systolic function intolerant to angiotensin-converting-enzyme inhibitors: the CHARM-Alternative trial.* Lancet. 2003 Sep 6;362(9386):772-6.

12- Maggioni AP, Anand I, Gottlieb SO, Latini R, Tognoni G, Cohn JN; Val-HeFT Investigators (Valsartan Heart Failure Trial). *Effects of valsartan on morbidity and mortality in patients with heart failure not receiving angiotensin-converting enzyme inhibitors.* J Am Coll Cardiol. 2002 Oct 16;40(8):1414-21.

Annexe 6

Nous remercions la Fondation des maladies du coeur du Québec pour leur généreuse contribution.

DIABÈTE - LIGNES DIRECTRICES CANADIENNES 2003

ASSOCIATION CANADIENNE DU DIABÈTE

Auteur : Gilles Côté, Omnipraticien, DSP du Bas-Saint-Laurent

Collaborateurs :

Andrée Boisselle, endocrinologue, Centre hospitalier régional de Rimouski

Claude Garceau, interniste, Hôpital Laval, Québec

Jean-François Yale, endocrinologue, Professeur de médecine, Centre de nutrition McGill, Directeur, Centre de jour métabolique, Hôpital Royal Victoria

Révision :

Marc Aras, Directeur des communications, Diabète Québec

Louise Tremblay, Infirmière, Diabète Québec

Marie-Claire Barbeau, Diététiste, Diabète Québec

Révision : Comité de rédaction Les actualités du cœur

Denis Drouin, M.D., Médecin conseil, Organisation des Services, Santé cardiovasculaire, DSP Québec

Danielle Pilon, M.D., M.Sc, FRCPC, Centre hospitalier de l'Université de Sherbrooke

Chantal Ducasse, M.D., Dip. Sport Med, Directrice Centre Multi-Medic

Francine Forget Marin, MBA, Dt.P., Chef d'équipe - Services professionnels, FMCQ

Hélène Poirier, M.Sc., Coordonnatrice, Alliance québécoise pour la santé du cœur, FMCQ

INTRODUCTION

Les sociétés occidentales font face avec le vieillissement de la population et l'augmentation de l'obésité à une progression importante de la prévalence du diabète. Au Canada, on estime qu'au moins

7 % des adultes sont touchés par cette maladie. Les populations d'origine autre que caucasienne (autochtone, latino-américaine, asiatique ou africaine) présentent un risque particulièrement élevé de développer cette pathologie.

Le nouveau guide canadien de pratique clinique propose un dépistage plus systématique et plus précoce. De plus, il vise à identifier des patients très à risque de développer le diabète dans les prochaines années (syndrome métabolique et état prédiabétique : glycémie à jeun marginale, intolérance au glucose). Chez ces patients, on a démontré que des interventions adéquates pouvaient retarder ou empêcher l'apparition de la maladie.

Évidemment le traitement non pharmacologique (alimentation adéquate et activité physique) demeure la base du traitement du diabète. Toutefois, si les objectifs de glycémie ne sont pas atteints, les nouvelles recommandations insistent sur la nécessité d'instituer rapidement un traitement pharmacologique pouvant être d'emblée une association médicamenteuse. On procédera à des ajustements du traitement de la médication de façon à viser un contrôle adéquat en six à douze mois.

Étant donné que 80 % des diabétiques décèdent actuellement d'une maladie cardiovasculaire, la prévention des MCV doit constituer une priorité dans le traitement du diabète. En plus d'un suivi étroit et d'un traitement agressif de la pression artérielle et de l'hyperlipidémie, on doit envisager la prescription d'antiplaquettaires et d'inhibiteurs de l'enzyme de conversion de l'angiotensine chez tous les diabétiques adultes à risque de MCV, à moins de contre- indications.

Bien sûr, le suivi du patient diabétique doit comprendre un dépistage régulier de la néphropathie, de la rétinopathie ainsi que des complications pouvant affecter les pieds (en particulier la neuropathie).

Nous avons voulu en quelques pages regrouper l'essentiel des recommandations du comité d'experts qui ont contribué au guide de pratique clinique sur le diabète. On doit toutefois ne pas hésiter à se référer au document de base publié en novembre 2003 par l'Association canadienne du diabète.

DÉPISTAGE

On devrait évaluer annuellement le risque de diabète chez tout adulte en se référant aux facteurs de risque et procéder à un dépistage, si indiqué cliniquement.

- Avant 40 ans : en présence de facteurs de risque
- Après 40 ans : chez tous, aux 3 ans, par une glycémie à jeun et, plus fréquemment, s'il y a des facteurs de risque.

Compléter par une glycémie 2 h post 75 g de glucose si la glycémie à jeun se situe entre 5,7 et 6,9 mmol/L et que l'individu présente des facteurs de risque.

DIAGNOSTIC DU DIABÈTE ET DU SYNDROME MÉTABOLIQUE

Diabète

Sujet symptomatique : soif, polyurie, polydipsie, fatigue, amaigrissement (malgré appétit augmenté ou normal) : une glycémie à ≥ 11,1 mmol/L prélevée à n'importe quel moment est suffisante pour confirmer le diagnostic.

Sujet asymptomatique : glycémie plasmatique à jeun (au moins 8 heures) ≥ 7,0 mmol/L ou test de tolérance au glucose (75 g) avec glycémie à 120 minutes ≥ 11,1 mmol/L. Un test de confirmation (glycémie à jeun ou test de tolérance au glucose) doit être fait un autre jour, sauf en présence d'une décompensation métabolique.

État prédiabétique

La glycémie marginale (anomalie de la glycémie à jeun) est définie par une glycémie à jeun entre 6,1 et 6,9 mmol/L.

L'intolérance au glucose est définie par une glycémie 2 h post 75 g de glucose entre 7,8 et 11 mmol/L.

Ces deux entités peuvent être isolées ou coexister chez le même individu. Elles sont associées à un risque élevé de diabète et de maladie cardiovasculaire (MCV). Le risque de MCV est particulièrement marqué dans l'intolérance au glucose. Les études ont démontré qu'une intervention nutritionnelle associée à l'exercice pouvait diminuer de façon très importante l'évolution vers le diabète. Dans l'intolérance au glucose, une médication (metformine, 850 mg bid ou acarbose, 100 mg tid) peut être ajoutée à l'intervention sur les habitudes de vie. La metformine est surtout efficace chez les patients jeunes et obèses.

Identification clinique du syndrome métabolique

Un diagnostic de syndrome métabolique est fait quand TROIS ou PLUS des anomalies suivantes sont présentes :

Glycémie à jeun : ≥ 6,1 mmol/L

Pression artérielle : ≥ 130/85 mm Hg

Triglycérides : ≥ 1,7 mmol/L

C-HDL : < 1,0 mmol/L (homme)
< 1,3 mmol/L (femme)

Obésité abdominale : > 102 cm (homme)
> 88 cm (femme)

Ces patients sont à risque élevé de diabète et de MCV.

OBJECTIFS ET SURVEILLANCE DU CONTRÔLE GLYCÉMIQUE

Objectifs - pour la majorité
des patients :

- Hémoglobine glyquée (A1C) ≤ à 7 %
- Glycémie à jeun ou préprandiale entre 4 et 7 mmol/L
- Glycémie 2 h postprandiale entre
  5 à 10 mmol/L

On devrait viser des valeurs de glycémie pratiquement normales si ces valeurs peuvent être obtenues de façon sécuritaire :

- Hémoglobine glyquée ≤ à 6 %
- Glycémie à jeun ou préprandiale entre 4 et 6 mmol/L
- Glycémie 2 h postprandiale entre
  5 à 8 mmol/L

N. B. : Ces objectifs ne s'appliquent pas chez les enfants de moins de 12 ans ou chez les patients ayant un pronostic vital très faible.

Surveillance

- Hémoglobine glyquée à tous les 3 mois (environ).
- Toutes les personnes diabétiques devraient recevoir un enseignement pour l'automesure de la glycémie. Cet enseignement devrait être réévalué à intervalles réguliers. Des mesures de glycémie à la fois préprandiales et 2 heures postprandiales devraient être faites.
- Les personnes diabétiques de type 1 devraient mesurer leur glycémie au moins 3 fois par jour. Chez ces patients, lors de maladies aiguës, l'acétonurie doit être mesurée si la glycémie dépasse 14 mmol/L.
- Chez les diabétiques de type 2 la fréquence devrait être individualisée selon le contrôle glycémique et le type de thérapie. En général, la glycémie doit être mesurée au moins une fois par jour. Des mesures plus fréquentes peuvent être nécessaires lors des changements ou des ajustements de traitement.

- La fréquence des mesures de glycémie doit être augmentée dès qu'il y a apparition d'une maladie concomitante (fièvre, gastro-entérite, etc.).
- On devrait comparer les résultats de l'automesure avec une mesure de la glycémie en laboratoire faite simultanément, annuellement. On peut tolérer 15 % de différence entre les deux mesures.

TRAITEMENT NON PHARMACOLOGIQUE

Nutrition

Tout patient diabétique devrait être référé à une diététiste pour un enseignement individuel ou par petits groupes.

Le guide alimentaire canadien pour manger sainement constitue la base des recommandations alimentaires chez les diabétiques.

- Avoir une alimentation variée
- Favoriser les pains et céréales à grains entiers, les fruits et légumes
- Choisir des produits laitiers moins gras, des viandes plus maigres et des aliments préparés avec peu ou pas de matières grasses
- Atteindre et maintenir un poids santé
- Limiter l'apport en sodium, alcool et caféine

Traitement de l'obésité

Une perte de poids de 5 à 10 % devrait être visée sur une période de 6 mois chez les patients obèses de type 2. Une baisse de quelques kilos a un impact important sur le bilan métabolique (pression artérielle, lipides et glycémie).

Si l'intervention nutritionnelle et l'exercice se révèlent inefficaces chez les patients obèses de type 2, l'utilisation d'agents antiobésité peut être considérée :

- Sibutramine (Méridia®) : augmente la satiété et diminue la faim, 10 mg id; si inefficace, augmenter à 15 mg id après 4 semaines. On doit surveiller la pression artérielle.
- Orlistat (Xénical®) : diminue l'absorption des gras, 1 comprimé 3 fois par jour lors des repas s'ils contiennent des graisses. Peut donner de la diarrhée sous forme de petites selles huileuses.
- Une chirurgie bariatrique peut être considérée en présence d'obésité morbide (IMC › 40) ou IMC entre 35 et 39 avec comorbidités et lorsque les interventions visant la modification des habitudes de vie n'ont pas permis l'atteinte des objectifs de perte de poids.

Exercice chez les diabétiques

L'exercice joue un rôle majeur dans la prévention et le contrôle du diabète. Un niveau d'exercice modéré à élevé est associé à une réduction importante de la morbidité et de la mortalité chez les diabétiques de type 1 et 2.

Précautions à prendre

- Tapis roulant - si individu sédentaire à risque qui désire faire une activité plus importante qu'une marche vigoureuse
- L'enseignement des soins des pieds - pour diminuer les risques de plaies
- Évaluation en ophtalmologie en présence d'une rétinopathie - si activité intense

Niveau d'exercice

- 150 minutes par semaine d'exercice aérobique d'intensité modérée, réparties sur au moins 3 jours non consécutifs. Les patients motivés devraient être encouragés à en faire plus de 4 heures par semaine.
- Les activités de résistance (levée de poids) ont été démontrées comme étant utiles pour diminuer l'insulinorésistance et peuvent faire partie d'un programme d'exercice chez le diabétique, en particulier, chez la personne âgée.

PRISE EN CHARGE PHARMACOLOGIQUE DU DIABÈTE DE TYPE 2

Hyperglycémie légère ou modérée

En présence d'une hyperglycémie légère ou modérée (A1C < 9 %), si les modifications des habitudes de vie n'ont pas été suffisantes pour amener un contrôle de la glycémie en 2 à 3 mois, on doit introduire une médication. Le premier choix est la metformine si l'IMC est ≥ 25. Sinon, on choisira un agent selon les caractéristiques et la tolérance du patient. En l'absence de contre-indications, l'ordre favorisé d'utilisation est le suivant : metformine, thiazolidinedione, sécrétagogue de l'insuline, insuline, inhibiteur de l'alpha-glucosidase.

Hyperglycémie marquée

En présence d'une hyperglycémie marquée (A1C ≥ 9 %), en plus des changements des habitudes de vie (alimentation, exercice), on devrait introduire immédiatement un traitement pharmacologique.

Le consensus suggère une association de deux agents de classes différentes pouvant comprendre l'insuline. Si l'hyperglycémie est très importante, on peut commencer avec l'insuline seule.

Après 2 ou 3 mois de la thérapie initiale, si les objectifs de traitement n'ont pas été atteints, on doit ajouter un agent d'une autre classe (ou de l'insuline) ou intensifier l'insulinothérapie. Les ajustements des traitements devraient être faits de façon à viser un contrôle adéquat de l'hémoglobine glyquée en 6 à 12 mois.

- En général, la combinaison de deux agents à dose sous-maximale est plus efficace et amène moins d'effets secondaires que l'utilisation d'un seul agent à dose maximale.

- L'insuline peut être nécessaire de façon temporaire lors des maladies sévères, d'une grossesse ou d'une chirurgie.
- L'association metformine avec insuline amène moins de prise de poids que l'association sulfonylurée et insuline ou que la prise de deux doses quotidiennes de NPH.
- La metformine ainsi que l'acarbose peuvent être considérés chez les patients avec intolérance au glucose en plus des interventions sur les habitudes de vie, afin de prévenir l'apparition du diabète.

Maladie hépatique :
Éviter le glyburide, les biguanides et les thiazolidinediones. Favoriser le glyclazide, le repaglinide et le glimépiride.

Maladie rénale significative :
Éviter la metformine et les sulfonylurées.

Insuffisance cardiaque significative : Éviter la metformine et les thiazolidinediones.

Initiation de l'insuline chez les patients ayant un diabète de type 2

Option A :
Une dose au coucher d'insuline ajoutée aux agents oraux 0,1 - 0,2 unité/kg (7 - 14 unités pour 70 kg), 100 % sous forme d'insuline basale soit NPH, N ou glargine au coucher.

Option B :
Thérapie d'insuline intensive (0,5 unité/kg), 40 % de la dose totale d'insuline comme forme d'insuline basale (NPH, N, glargine) au

coucher, 20 % des doses totales comme insuline au repas, 3 fois par jour (avec une insuline à action rapide ou un analogue à action rapide).

Option C :
L'utilisation d'insuline prémélangée est plus difficile dans un traitement initial. Deux injections d'insuline par jour, sous forme prémélangée (30/70 ou 50/50) (0,5 unité/kg) (35 unités pour 70 kg); 2/3 de la dose totale d'insuline le matin,1/3 de la dose totale d'insuline avec le repas du soir.

Ensuite, ajuster périodiquement jusqu'à l'obtention de glycémies cibles.

PRÉVENTION CARDIOVASCULAIRE ET TRAITEMENT DE L'HYPERTENSION

80 % des diabétiques décèderont d'un événement cardiovasculaire.

Habitudes de vie

Les interventions sur les habitudes de vie (activité physique, saine alimentation, arrêt tabagique, réduction de l'apport sodique) ainsi qu'une référence à une nutritionniste devraient être faites chez tous les diabétiques et constituer une priorité de traitement. Une perte de poids de 5 à 10 % amène souvent une amélioration importante du bilan métabolique.

AAS

L'AAS (80 à 300 mg) est indiqué chez tous les diabétiques avec évidence d'atteinte vasculaire ou ayant un autre facteur de risque ajouté (ex. : hypertension, hyperlipidémie). Si l'AAS n'est pas toléré ou contre-indiqué, utiliser alors du clopidogrel (Plavix®). L'AAS ne doit pas être donné avant 21 ans (risque du syndrome de Reye).

IECA

Les inhibiteurs de l'enzyme de conversion de l'angiotensine ont démontré un effet de protection vasculaire indépendant de l'effet sur la pression artérielle. Dans l'étude Hope, les diabétiques avec MCV ainsi que ceux de 55 ans et plus avec un autre facteur de risque (ex. : HTA, hyperlipidémie) avaient une diminution des événements cardiovasculaires en recevant du ramipril. L'étude Europa avec le périndopril montrait des bénéfices semblables chez des coronariens diabétiques ou non. On doit donc envisager de prescrire cette classe de médication chez tous les diabétiques à risque élevé même en l'absence d'hypertension ou de néphropathie.

Hypertension artérielle

Le contrôle de l'hypertension amène une diminution très importante des complications micro et macrovasculaires. La pression artérielle devrait être mesurée à chaque visite.

Médicaments de choix par ordre de préférence :

- IECA
- ARA (antagoniste des récepteurs de l'angiotensine)
- Un bêta-bloquant cardiosélectif
- Diurétique thiazidique
- Bloquant des canaux calciques à longue action

On doit fréquemment utiliser deux ou trois agents pour obtenir un contrôle satisfaisant de la pression artérielle.

OBJECTIF : systolique ≤ 130mm/Hg diastolique ≤ 80 mm/Hg

N. B. : Les bloquants alpha-adrénergiques ne sont pas recommandés comme agents de première ligne dans le traitement de l'hypertension.

Évaluation et traitement de l'hyperlipidémie

OBJECTIF :
La majorité des diabétiques adultes devraient être considérés comme étant à risque élevé de MCV et l'on doit viser un C-LDL < 2,5 mmol/L et un ratio CT/C-HDL < 4.

- Les patients plus jeunes qui souffrent de diabète depuis moins longtemps et qui ne présentent ni complications du diabète ni d'autres facteurs de risque cardiovasculaires peuvent être considérés comme à risque modéré. On vise alors un C-LDL < 3,5 mmol/L et un CT/C-HDL < 5.

Traitement (la modification des habitudes de vie ayant été essayées et renforcées) :

- C-LDL au-delà des limites, le premier choix est une statine.

- Triglycérides › 4,5 mmol/L, le premier choix est un fibrate.

- Chez un patient à risque élevé avec un C-HDL ‹ 1,0 mmol/L, des TG entre 1,5 et 4,5 mmol/L et un C-LDL ‹ 2,5 mmol/L, utilisez une statine ou un fibrate.

N. B. : Les particules de C-LDL petites et denses augmentent lorsque le niveau de triglycérides dépasse environ 1,5 mmol/L. Bien que le consensus ne donne pas d'objectifs de concentration des triglycérides précis, un niveau ‹ 1,5 mmol/L serait considéré optimal.

La mesure du bilan lipidique n'est pas recommandée chez les diabétiques avant l'âge adulte, sauf en présence d'obésité (IMC › 95e percentile), ou s'il y a une histoire d'hyperlipidémie familiale ou de maladie coronarienne précoce.

Les nouvelles lignes directrices sur le traitement des dyslipidémies suggèrent une dose de statine équivalente ou supérieure à 40 mg/jour de simvastatine chez les patients vasculaires ou à risque élevé (étude HPS). Cette dose de statine peut être donnée d'emblée si le patient ne présente pas de risque particulier de myopathie (personnes âgées ou souffrant d'insuffisance rénale ou d'alcoolisme, entre autres). Sinon, augmentez la dose progressivement en surveillant la tolérance. De plus, si on doit donner l'association fibrate avec une statine, le fibrate de choix est le fénofibrate en association avec la simvastatine ou la pravastatine. Utilisez la plus faible dose possible des deux médications.

L'apolipoprotéine B : Sa concentration reflète le nombre total de particules athérogènes et peut constituer une meilleure estimation du risque de problèmes vasculaires que le taux de C-LDL. Le niveau optimal d'apo B est ‹ 0,9 g/L pour les patients à haut risque et ‹ 1,05 g/L si risque modéré.

NÉPHROPATHIE DIABÉTIQUE

L'atteinte rénale secondaire au diabète constitue la première cause d'insuffisance rénale teminale et de dialyse. Bien que l'atteinte rénale soit plus fréquente chez les diabétiques de type 1, les diabétiques de type 2 étant beaucoup plus nombreux, ils représentent la majorité des cas de néphropathie diabétique.

Dépistage

La mesure de la microalbuminurie devrait être faite par la mesure du rapport albumine/créatinine sur un échantillon d'urine fraîche, annuellement chez tous les patients de type 1, après la puberté, ayant un diabète d'une durée de plus de 5 ans. Chez les patients de type 2, les dépistages devraient être annuels dès le diagnostic.

Le dépistage de la microalbuminurie n'est pas indiqué chez les patients présentant une albuminurie (> 300 mg/jour). Le suivi devrait se faire alors par la protéinurie de 24 heures.

La mesure de la microalbuminurie peut être faussée en présence de fièvre, de diabète décompensé, d'infection urinaire ou d'exercice intense.

Interprétation du dépistage

Rapport albumine sur créatinine sur une miction au hasard :

Normal :
- < 2 mg/mmol (homme)
- < 2,8 mg/mmol (femme)

Correspond à une albuminurie sur 24 heures < 30 mg/jour.

Microalbuminurie :
- 2 à 20 mg/mmol (homme)
- 2,8 à 28 mg/mmol (femme)

Correspond à une albuminurie sur 24 heures entre 30 et 300 mg/jour. On doit alors répéter le dosage à 3 reprises sur 3 mois et mesurer la créatinine sérique. Si 2 échantillons sur 3 sont positifs, on peut poser un diagnostic de néphropathie diabétique au stade de microalbuminurie.

Macroalbuminurie :
- > 20 mg/mmol (homme)
- > 28 mg/mmol (femme)

Correspond à une albuminurie sur 24 heures > 300 mg/jour et signifie la présence d'une néphropathie diabétique.

N. B. : La présence de microalbuminurie en particulier dans un cas de diabète de type 2 indique un risque cardiovasculaire très élevé.

Traitement de l'albuminur

Type 1 : Un IECA est le premier choix. Un ARA doit être envisagé si le patient ne tolère pas les IECA.

Type 2 : Clairance de la créatinine
> 60 mL/min.
Un IECA ou un ARA sont recommandés.
Chez les patients ayant une clairance < 60 mL/min, un ARA constitue le premier choix.

Les bloquants calciques nondihydropyridiques (diltiazem ou vérapamil) peuvent être envisagés chez les patients ne tolérant pas les IECA et les ARA, ou en association avec ces médicaments, pour réduire la sécrétion d'albumine.

On augmentera la dose du médicament choisi, par étapes, aux 2 à 8 semaines, jusqu'au dosage maximal. Si, malgré un dosage maximal, la microalbuminurie n'est pas contrôlée, ajoutez un deuxième médicament.

Les patients sous IECA ou ARA devraient avoir une mesure de la créatinine sérique et de leur potassium dans les 2 semaines suivant l'initiation de la thérapie ou l'augmentation du dosage.

La pression artérielle doit être contrôlée de façon rigoureuse chez les patients ayant une néphropathie. Les objectifs de traitement sont une systolique ≤ 130 mmHg et une diastolique ≤ 80 mmHg. L'arrêt tabagique et le contrôle de l'hyperlipidémie contribuent à ralentir l'évolution de l'atteinte rénale. Si un diurétique doit être utilisé, prendre un diurétique de l'anse (ex. : furosémide), lorsque la créatinine dépasse 150 µmol/L.

Suivi de la créatinine

On doit mesurer le niveau de créatinine et en évaluer la clairance chaque année, chez tous les diabétiques sans albuminurie, et au moins aux 6 mois, chez ceux ayant une albuminurie.

RÉTINOPATHIE

Dépistage et suivi

L'évaluation devra être faite par un professionnel expérimenté.

- Diabète de type 1 : évaluation annuelle, 5 ans après le début du diabète, chez les individus de 15 ans et plus.
- Diabète de type 2 : dès le diagnostic et selon la sévérité de la rétinopathie par la suite; en l'absence de rétinopathie, l'intervalle recommandé varie de un à deux ans.

- En présence de rétinopathie : on devrait viser le meilleur contrôle glycémique possible ainsi que le contrôle de la pression artérielle et de l'hyperlipidémie.

Important :
Le patient ayant une rétinopathie présente un risque beaucoup plus important de complications du diabète, en particulier au niveau rénal, neurologique et cardiovasculaire.

PIED DIABÉTIQUE

- Enseignement : Tous les patients et plus particulièrement ceux à risque d'ulcérations (atteintes vasculaires, neuropathie et antécédents de plaies) devraient être référés pour un enseignement par un professionnel expérimenté.

- Évaluation de la neuropathie périphérique : Annuellement, dès le diagnostic chez le diabétique de type 2 et après 5 ans d'évolution chez le diabétique de type 1 en postpuberté. Elle devrait se faire en vérifiant la sensibilité du gros orteil au monofilament de 10 g ou à la vibration du diapason de 128 Hz. On peut aussi évaluer la sensibilité ailleurs sur le pied (voir image ci-contre) avec le monofilament. Toutefois, seule l'évaluation du gros orteil a été standardisée.

- Évaluation artérielle : Les patients diabétiques sont beaucoup plus sujets à l'athérosclérose des membres inférieurs. Le tabagisme accélère ce phénomène de façon importante. Les signes et symptômes recherchés sont : claudication, douleurs au repos, froideur des pieds, pâleur à l'élévation, cyanose des orteils, dégénérescence des phanères, diminution ou absence des pouls. L'index tibio-bracchial (rapport entre la pression artérielle du membre inférieur sur celle du membre supérieur N › 0,9) indique une atteinte artérielle du membre inférieur. Ce test peut s'avérer toutefois faussement normal lorsque les artères sont calcifiées (fréquent chez les diabétiques).

- Plaies : Toute plaie chez un diabétique doit être considérée comme un problème potentiellement grave. La lésion est souvent beaucoup plus importante qu'elle ne le paraît. Soupçonnez une ostéomyélite pour toute lésion pénétrante. Ne jamais hésiter à référer à un médecin expérimenté dans le traitement des plaies.

FACTEURS DE RISQUE DE DIABÈTE DE TYPE 2
Âge ≥ 40 ans
Diabète chez un parent du premier degré
Membres d'une population à haut risque (Personnes d'origine autochtone, latino-américaine, asiatique ou africaine)
Histoire d'anomalie de la glycémie à jeun ou d'intolérance au glucose
Présence de complications associées au diabète
Histoire de diabète gestationnel
Histoire d'accouchement d'un bébé macrosomique
Hypertension
Hyperlipidémie
Surpoids, en particulier, obésité abdominale
Acanthosis nigricans
Syndrome des ovaires polykystiques
Schizophrénie (risque augmenté d'au moins 3 fois)
Autres facteurs de risque : • Fibrose kystique, hémochromatose, pancréatite • Acromégalie, syndrome de Cushing • Syndrome de Down, dystrophie myotonique • Certains médicaments (antipsychotiques atypiques, glucocorticoïdes, phénytoïne, etc.) Liste complète – Appendice 1 du Guide canadien (p. S 118)

BIBLIOGRAPHIE

Canadian Journal of Diabetes, Canadian Diabetes Association 2003 Clinical Practice Guidelines for the Prevention and Management of Diabetes in Canada, Association canadienne du diabète, Décembre 2003, Volume 27, supplément 2, disponible au site http://www.diabetes.ca.

CMAJ-JAMC. Recommendations for the management of dyslipidemia and the prevention of cardiovascular disease : 2003 update, Supplement de CMAJ 2003; 169(9):921-924.

RESSOURCES POUR LE PATIENT

Pour de l'information, devenir membre et recevoir la revue Plein Soleil :

DIABÈTE QUÉBEC
8550, boulevard Pie-IX, bureau 300
Montréal (Québec)
H1Z 4G2
Site internet : www.diabete.qc.ca
Courriel : info@diabète.qc.ca
Téléphone : 1 800 361-3504 ou (514) 259-3422
Télécopieur : (514) 259-9286

LIVRES À RECOMMANDER AUX PATIENTS

- Unité de jour de diabète de l'Hôtel Dieu du CHUM. Connaître son diabète...pour mieux vivre, Rogers Media, 2001, 270 p.
- Fortin, Christian, MD. Le diabète agissez avant lui. Les Éditions PubliStar 2003, 124 p.
- Guide d'Alimentation pour la personne diabétique, Ministère de la Santé et des Services sociaux, Québec, 2003, commander gratuitement par télécopieur : (418) 644-4574

  ou par courriel : communications@msss.gouv.qc.ca